LANGUEDOC
ROUSSILLON

*Le reportage photographique a été confié à l'agence **Top** et réalisé par :*

C. Bibollet *pages* : 1, 3, 10/11, 15, 16, 17, 18, 19, 20, 21, 22, 23, 34, 35,
37, 38, 39, 41, 42, 45, 46, 47, 48, 49, 50/51, 55, 56, 57, 58, 59, 60, 61,
62, 63, 64, 65, 66, 67, 68, 69, 70/71, 81, 82, 83, 87, 88, 89, 92, 93, 101,
102, 103, 108, 109, 120, 128, 129 droite.

R. Mazin *pages* : 2, 4, 5, 6, 7, 8, 9, 12, 13, 14, 24, 25, 26, 27, 28, 29,
30/31, 32, 33, 36, 40, 43, 52, 53, 54, 72, 73, 74, 75, 76, 77, 78, 79, 80,
84, 85, 86, 90, 91, 94, 95, 96, 97, 98, 99, 100, 104, 105, 106, 110/111,
112, 113, 114, 116, 117, 119 droite, 121, 122, 123, 124, 125, 126, 127, 129
gauche, 130/131, 132, 133, 134, 135, 136, 137, 138, 139, 140.

*À l'exception des photos **J. Guillard** de l'agence **Scope***
pour les pages 118, 119 bas.

Portrait d'Adèle Besson,
par Van Dongen, (page 9) :
© *by **A.D.A.G.P.**, 1989.*

Le texte des doubles pages
10-11, 30-31, 50-51, 70-71,
90-91, 110-111, 130-131
a été rédigé par
Sylvie Girard.

Rédaction :
Alain Melchior-Bonnet,
assisté de Jocelyne Bierry

Conception graphique et mise en pages :
Frédérique Longuépée et Alain Joly

Documentation iconographique :
Anne-Marie Moyse-Jaubert

Couverture :
Gérard Fritsch

Cartographie :
Denis Horvath

Fabrication :
Annie Botrel

Direction artistique :
Henri Serres-Cousiné

Dépot légal : septembre 1989 — Nᵒ Éditeur : 15279
Imprimé en France par Imp. Jean Didier, Strasbourg *(Printed in France)*
Librairie Larousse (Canada) limitée, propriétaire pour le Canada des droits d'auteur et des marques de commerce
Larousse — Distributeur exclusif au Canada : les Éditions Françaises Inc., licencié quant aux droits d'auteur et usager
inscrit des marques pour le Canada.
ISBN 2-03-204066-2

LANGUEDOC ROUSSILLON

AUDE GROUARD DE TOCQUEVILLE

LIBRAIRIE LAROUSSE
17, RUE DU MONTPARNASSE 75006 PARIS

MER

GOLFE

DU

LION

MÉDITERRANÉE

PRÉFACE

ARTHUR CONTE

DIVERSITÉ ET

ÉTRANGE RÉGION. AUX PREMIERS REGARDS, ELLE NE PRÉSENTE AUCUN SIGNE d'unité. Elle apparaît comme du préfabriqué, ou un manteau d'Arlequin. Au sud, elle est peuplée, en Roussillon et en Cerdagne, de Catalans, dont le cœur « historique » cultive une certaine nostalgie de leur reine Barcelone. Au nord, la Lozère résiste non sans peine à l'attraction de l'Auvergne : comment son âme ne serait-elle pas du Massif central ? À l'est, bien des Nîmois ne dissimulent pas leur regret d'être séparés de leur mère la Provence. À l'ouest, Quillan, Limoux, Castelnaudary et même Carcassonne se reconnaissent davantage dans l'entité pyrénéenne que dans l'univers méditerranéen. Cette Région ne se dénomme que douloureusement et pour moitié *Languedoc* (patria lingue occitane), parce que le *Roussillon* tient naturellement à une pleine présence et parce que la grande Occitanie a été écartelée, n'a pu réexister en soi et s'est retrouvée partagée entre plusieurs Régions administratives, Provence-Côte d'Azur, Auvergne, Limousin, Midi-Pyrénées et même Guyenne-Gascogne. Les frontières de ce faux ensemble n'ont rien à voir avec les vraies frontières provinciales de l'his-

→

UNITÉ MORALE

Languedoc - Roussillon

La cité médiévale de Carcassonne jaillit dans un paysage de campagne.
Entourée de ses murailles, elle occupe l'extrémité d'un petit plateau au relief assez abrupt du côté de l'Aude,
en pente plus douce vers l'est. Les tours de la cité sont autant d'observatoires sur les alentours.
Ici, le front sud avec, au loin, les formes lourdes de la Montagne Noire. Une heureuse interdiction
de construire autour de la cité permet de l'admirer, enveloppée de vignes et de vergers.

toire. Elles sont aussi artificielles que celles que créent la télévision ou les ondes, puisque de nombreuses localités du Gard, au lieu de recevoir les programmes « régionaux » de Montpellier, sont directement à l'écoute de Marseille, puisque plusieurs cantons de l'Aude sont branchés sur les postes de Toulouse et que les populations du Gévaudan peuvent être sous arrosage de Clermont-Ferrand. Le découpage du Languedoc-Roussillon relève de l'artificiel. Il faudrait beaucoup d'imagination pour arriver à lui confectionner une oriflamme unique, à totale signification.

Les peuples qui y sont regroupés sont eux-mêmes disparates, voire contradictoires. Les Catalans restent âprement attachés à tous leurs particularismes. C'est la Provence qui chante en Petite Camargue. Les montagnards de l'Aubrac ne sont pas moins secrets que ceux du Mont-Dore. Les Occitans de l'Est savent eux-mêmes beaucoup se distinguer des Occitans de l'Ouest.

Mais il s'agit de peuples qui savent davantage aimer que haïr, préfèrent rechercher le rapprochement que la différence. Ainsi, après à peine quelques décennies, la Région Languedoc-Roussillon, même sans âme unique, a-t-elle pu se forger une certaine unité morale. Ce n'est pas contestable.

De plus, tant de charmes sont venus des fées de l'histoire et de la géographie, illustrant une admirable civilisation commune, même au prix de trop de guerres ou d'abominations !

La Région offre les paysages les plus divers, depuis les garrigues palestiniennes des environs de Montpellier et les Corbières mauves d'autour de Fitou, jusqu'aux hauts monts, couronnés de diadèmes bleus, tels le Canigou et le Puigmal, qui veillent en gardiens tutélaires sur les Pyrénées orientales. Elle a tous les rivages, depuis les longues plages sableuses, inventées pour être populaires, comme celles de La Grande-Motte, de Palavas-les-Flots et de Leucate-la-Franqui, jusqu'à de saisissantes côtes déchiquetées, aux superbes rocs ensanglantés, comme les offre pour longues rêveries romantiques la Côte Vermeille. Elle a la vigne et le verger, le coquelicot et l'edelweiss, les étangs et les Causses, les paradis de la cigale et les patries de la grenouille ou du grillon.

L'histoire y parle à tout instant. Ici, sur la frontière même du Languedoc et du Roussillon, le château fort de Salses, première ligne Maginot de tous les temps (et non moins vulnérable), premier géant de roc à se construire caché, à l'affût, et non debout sur une colline, pourrait témoigner à lui seul que nos siècles aussi purent être féroces : ses remparts fauves et ses noires oubliettes savent aussitôt nous raconter sans paroles combien de « westerns » endiablés durent y vivre les cow-boys de l'époque. Là, les abbayes romanes déroulent le plus poétique des chapelets, et c'est l'abbaye d'Aniane fondée par saint Benoît ; Saint-Guilhem-le-Désert, œuvre magique de Guillaume au Court Nez ; l'adorable prieuré tout rose de Serrabonne ; l'abbaye de Fontfroide, austère bijou de l'ordre de Cîteaux ; l'émouvante abbaye de Saint-Michel-de-Cuxa, le monument préféré de Pablo Casals, qui viendra souvent, enchanteur enchanté, y écouter le chœur des rossignols et des mésanges.

Ici, on ne saurait échapper à l'envoûtement des châteaux cathares, martyrs de leur vérité absolue, tandis que tous les monuments de Nîmes attestent d'une loi romaine qui aura à jamais imposé la passion de la précision et de la rectitude. Mais là, de toute l'élégance de ses tours grises, la cité de Carcassonne convie gentiment à la vie médiévale, et, de tout son sourire, Perpignan invite en son château des rois de Majorque, aient-ils été trop dérisoires pour faire face aux seigneurs d'Aragon.

Le guide ne sait que choisir. Aller rêver sur l'antique pont du Gard ? Vagabonder à travers les sombres et ardentes Cévennes ? Aller longuement contempler les tableaux de Courbet au musée de Montpellier, ou le phare rouge de Collioure, ou l'éphèbe d'Adge au visage d'une stupéfiante beauté, ou la Vierge noire de Font-Romeu, ou le pathétique Christ-Roi de Saint-Jean de Perpignan, du plus pur gothique, aussi décharné qu'un sarment de vigne, oublié sur les bords de la Têt par quelque pèlerin de Cologne en route pour Montserrat ou Compostelle ? Ou s'en aller retrouver le souvenir de Molière à Pézenas, celui du maréchal Joffre à Rivesaltes, celui d'Aristide Maillol à Banyuls, celui d'Alphonse Daudet à Nîmes, sa ville natale ? Ou remonter encore les traces de l'histoire, depuis le cimetière marin de Sète, si cher à Paul Valéry et à... Brassens, jusqu'à tous les vestiges qui peuvent nous rester de l'époque de la Narbonnaise ou des temps wisigothiques ? On peut même, dans une grotte de Tautavel, aller saluer le plus vieil Européen jamais connu, « l'homme de Tautavel », qui y dort depuis un demi-million d'années... Elle existe bien, l'unité de la Région, dans les souvenirs. Alors, pourquoi pas dans les espérances ?

Le pont du Gard mérite sa renommée. Élevé à l'époque romaine, il franchit de ses trois étages d'arcades les eaux du Gardon. Sa hauteur (48,77 m) et les dimensions de ses arches (de 15,50 à 24,50 m d'ouverture pour les deux premiers étages) sont exceptionnelles.

Béziers : 23 km
Sète : 24 km

AGDE
Hérault

L'UNE DES VILLES LES PLUS
ATTACHANTES DU LANGUEDOC
MÉDITERRANÉEN, À L'IMPRESSIONNANTE
CATHÉDRALE FORTIFIÉE.

À quelques kilomètres de la mer, Agde la Grecque serre ses maisons de lave autour des fortifications de la cathédrale. La petite ville pittoresque déployée sur les bords de l'Hérault a retrouvé les traces de l'antique Agathé Tyché, grâce aux découvertes sous-marines des années 60. Fondé au VIe siècle avant J.-C. par les Phocéens massaliotes à l'abri d'un volcan, le mont Saint-Loup, Agde fut, dès l'Antiquité, un port prestigieux et un comptoir commercial important à la pointe extrême du littoral méditerranéen. Sa richesse venait de ses vignes et de ses oliviers, de ses basaltes aussi, qui servaient à la fabrication de meules. Le site était bien choisi. L'Hérault, fleuve paisible, permettait de remonter les marchandises assez loin à l'intérieur des terres, dans des embarcations légères. Siège d'un évêché au Ve siècle, puis d'une vicomté, Agde resta jusqu'au XIIe siècle l'un des ports les plus importants du bas Languedoc. Aux XVIIe et XVIIIe siècles, on pouvait encore s'y embarquer pour l'Amérique et les quais ne désemplissaient pas de navires de guerre ou de bateaux marchands. Le développement des ports de Sète, de Montpellier et d'Aigues-Mortes entraînèrent peu à peu son déclin.

On avait peu de traces de cette grande activité maritime jusqu'en 1964, où des fouilles sous-marines méthodiques permirent d'extraire de la mer un ensemble extraordinaire de vestiges antiques, plus de 1 700 objets de bronze, de cuivre ou d'étain, représentant un éventail complet des productions datant des VIIe et VIe siècles avant notre ère. Parmi ces découvertes figure le remarquable « Éphèbe d'Agde », exposé aujourd'hui au musée du Cap-d'Agde, comme tous les bijoux, armes, monnaies ou fragments d'amphores provenant des fouilles.

Chassé à l'intérieur des terres par les alluvions du Rhône, le port d'Agde est maintenant à 4 kilomètres de la mer. Son vieux quartier, à l'activité agricole et maritime, est plein de charme. Mais c'est surtout la cathédrale Saint-Étienne qui retient l'attention. Assise au bord de l'Hérault, construite en basalte noir, au XIIe siècle, sur l'emplacement d'une église carolingienne, elle reflète sa masse sombre et puissante dans les eaux du fleuve. Édifiée comme une forteresse en prévision des invasions barbares et sarrasines, elle est impressionnante avec ses murs fortifiés coiffés de mâchicoulis, son haut clocher qui servait de donjon et les

L'ÉPHÈBE D'AGDE

Parmi les découvertes archéologiques récentes survenues sur le littoral languedocien, celle de la statue baptisée l'« Éphèbe d'Agde » est sûrement la plus remarquable. Élément isolé qui rend difficile son attribution, la statue semblerait dater, selon les archéologues, du IVe siècle avant J.-C. Le bronze, haut de 1,33 m (il manque une partie des jambes), représente un jeune homme nu à l'allure pleine de vie, d'une beauté éblouissante. Il est peu probable que ce soit un dieu, car il ne possède aucun attribut le désignant comme tel. Les marques de noblesse de l'éphèbe, la chevelure « léonine », les mèches frontales symboles de virilité, le port de la chlamyde fixée sur l'épaule, les traits fins et racés du visage font de lui un être supérieur, un héros. Les Grecs désignaient sous ce nom de « héros » des personnages réels à la vie légendaire. La nudité de la statue, aux lignes à la fois puissantes et délicates, était courante dans la statuaire grecque pour idéaliser le modèle. Le balancement du corps, appuyé sur la jambe droite, l'anime d'un élan frémissant de vie. Son visage est une merveille de grâce avec ses traits fins, son expression grave et sensuelle. Longtemps exposé au Louvre, l'« Éphèbe » a retrouvé les rives de la Méditerranée depuis 1987.

La cathédrale Saint-Étienne d'Agde a véritablement une allure de forteresse. Ses fortifications témoignent de l'époque trouble où elle fut édifiée et de la puissance des évêques-comtes d'Agde.

grands arcs de décharges qui la soutiennent. À l'intérieur, la nef aux vastes proportions n'est pas moins sévère. Son plan serait le modèle d'une série d'églises gothiques languedociennes. Le retable du chœur en marbre rose, du XVIIᵉ siècle, figurant la lapidation de saint Étienne, la chaire du XVIIIᵉ siècle et les chapiteaux blancs de l'arc triomphal égayent l'austérité de l'ensemble. Plusieurs autres charmants édifices se nichent dans le vieux quartier. L'église Saint-Sever, du XVᵉ siècle, renferme un beau Christ Renaissance d'origine espagnol. L'hôtel de ville, embelli d'arcades à l'italienne et d'une loge, fut bâti à la même époque que plusieurs hôtels particuliers aux ravissantes cours intérieures, du XVIIᵉ siècle. Le musée Agathois, installé dans un hôtel Renaissance, abrite d'intéressantes collections sur l'histoire de la ville.

AIGUES-MORTES
Gard

Nîmes : 35 km
Montpellier : 30 km

« ... TOUT ENTIÈRE AVEC SES TOURS ET SON ENCEINTE, ELLE RESSEMBLE À UN VAISSEAU DE HAUT BORD ÉCHOUÉ SUR LE SABLE OÙ L'ONT LAISSÉE SAINT LOUIS, LE TEMPS ET LA MER. » CHATEAUBRIAND.

Créée par la volonté de Saint Louis, la cité fortifiée d'Aigues-Mortes se dresse dans un mélancolique paysage de marais et d'étangs, échouée à 6 kilomètres de la mer, à l'ouest du delta du Rhône. Son nom, qui signifie « eaux mortes », vient de ces étendues marécageuses et désertiques, où surgit, au début du XIIIᵉ siècle, le premier port méditerranéen du royaume capétien. À cette époque, le littoral languedocien était morcelé

Semblables à une forteresse maure, les remparts d'Aigues-Mortes au coucher du soleil. Le front méridional est le plus ouvert de l'enceinte. C'est par là que l'agglomération communiquait autrefois avec le port. La lagune du XIIIᵉ siècle qui entourait la cité est aujourd'hui presque entièrement comblée. Le rude bossage des murs de la porte de la Reine, au centre, avait une fonction symbolique : il exprimait la force, la capacité du mur à résister à toute agression.

en une multitude de fiefs épiscopaux, points stratégiques sur la Méditerranée dans le courant commercial ouvert par les croisades. La Provence appartenait alors à l'Empire germanique. Ne possédant aucun point d'appui sur la mer Méditerranée et projetant une croisade en Palestine, Saint Louis obtint la terre d'une abbaye bénédictine, Saint-Pierre-de-Psalmody, pour y construire un nouveau port d'embarquement et une base militaire. Le site était bien choisi. La ville enfermée dans ses remparts était isolée sur ses marécages et inaccessible à pied. Elle accueillait les embarcations légères par un système de canaux qui rejoignaient le golfe, où stationnaient les grands bateaux. Grâce à d'alléchants avantages, Saint Louis attira toute une nouvelle population dans son port. En quelques années, Aigues-Mortes devint un centre d'échanges important entre l'Italie et les foires de Champagne, l'Europe du Nord et le Levant. C'est de là que partirent deux croisades, celle d'Égypte en 1248, et celle de Tunis, où Saint Louis trouva la mort en 1270.

Active jusqu'au XIVe siècle, et théâtre d'une rencontre fastueuse entre Charles Quint et François Ier, la cité devint protestante durant les guerres de Religion. Le lent ensablement des bassins intérieurs du port et la naissance de Sète sonnèrent le déclin de l'ancienne ville royale. Parfait témoin de l'esprit religieux et politique du XIIIe siècle, la ville a conservé intactes ses murailles médiévales et sa belle architecture militaire. L'enceinte, construite d'un seul jet, est d'une belle homogénéité. Elle forme un quadrilatère de quelque 500 mètres sur 250, jalonné de 20 tours et de 10 portes fortifiées. La tour de Constance fut le premier ouvrage de Saint Louis, symbole du nouveau pouvoir capétien sur les terres de l'abbaye. Sa puissante masse circulaire constitue un donjon muni d'un parapet arrondi du XVIe siècle. Sa haute tourelle servait de phare et de vigie, surveillant tous les bateaux traversant le golfe, qui devaient acquitter un droit de péage. L'intérieur est un chef-d'œuvre d'architecture gothique, avec ses grandes salles ogivales superposées. La finesse des détails architecturaux, comme le décor de feuillages à la retombée des nervures des voûtes, forme un surprenant contraste avec le puissant système défensif. La salle du haut possède un chemin de ronde intérieur. Avec son puits, ses cheminées, sa chambre de tir des archères, son four à pain ou ses placards muraux, toute la composition intérieure de la tour révèle l'une des créations les plus accomplies de l'art du XIIIe siècle. À partir de la révocation de l'édit de Nantes, la tour de Constance devint tristement célèbre. Huguenots et prisonniers politiques y connurent de sombres heures. De son sommet, la vue est magnifique sur les remparts aux pierres blanches, les vastes étendues dénudées et, côté sud, vers la Méditerranée. Une promenade sur le chemin de ronde des remparts permet d'admirer les différentes tours et les portes, piquetées de meurtrières, de courtines et de parapets crénelés. L'intérieur de la cité offre le plan régulier des bastides du Midi. La place Saint-Louis en est le centre animé, et presse ses cafés et magasins autour de la statue du roi, exécutée par Pradier. L'église Notre-Dame-des-Sablons, remaniée au XVIIIe siècle, remonte au XIIIe et ren-

Le raffinement insolite d'un chapiteau de la tour de Constance, à Aigues-Mortes. L'architecture militaire du XIIIe siècle laissait parfois place à la fantaisie.

Une salle haute de la tour de Constance. À l'origine, la tour devait commander l'entrée du château, incendié au XVe siècle. Cette salle circulaire, couverte d'une voûte à clefs sculptées, tint lieu de prison d'État, d'abord pour les templiers, puis pour les huguenots. On reconnaît une cheminée et le puits central. Les murs très épais servaient à la fois pour la circulation et la défense, intérieure autant qu'extérieure.

ferme un autel romain du IVᵉ siècle. Les chapelles des Pénitents-Blancs et des Pénitents-Gris datent du XVIIᵉ siècle. Quelques belles maisons du XVIIᵉ siècle côtoient des vestiges du XVᵉ siècle. Si Aigues-Mortes séduisit Chateaubriand par l'ampleur de son passé royal, Barrès l'exalta dans son *Jardin de Bérénice*.

ALÈS
Gard

Nîmes : 44 km
Uzès : 33 km

LA CAPITALE DES CÉVENNES, BASTION DE LA RÉFORME, EST DEVENUE UNE VILLE PAISIBLE AUX PROMENADES ANIMÉES.

Cité gallo-romaine née sur la rive droite du Gardon, à la lisière des Cévennes, Alès était une halte sur la voie de Nîmes à Moulins. Si elle existe depuis l'époque romaine (la colline de l'Ermitage, au sud-ouest de la ville, portait un oppidum), elle est mentionnée pour la première fois dans une charte de 1200. Alès est alors un marché prospère, aux portes de la montagne, célèbre pour sa draperie. Place forte protestante pendant les guerres de Religion, elle vit la signature, en 1629, de l'édit de Grâce accordé par Louis XIII aux protestants, la « paix d'Alais » (la ville ne prit son orthographe actuelle qu'en 1926). Le XIXᵉ siècle assura sa richesse avec l'élevage des vers à soie et l'essor minier. Charbon et fer en firent une cité industrielle. Aujourd'hui, les secteurs de la métallurgie et de la chimie ont pris la place des bassins houillers. Malgré cette vocation, Alès est attachante, blottie dans une boucle du Gardon, à l'ombre de la cathédrale Saint-Jean. L'édifice, remanié au XVIIIᵉ siècle, a conservé une façade romane et un porche gothique. Installé dans le château du Colombier, des XVIIᵉ et XVIIIᵉ siècles, le musée rassemble une intéressante collection archéologique. Les objets proviennent des fouilles de l'oppidum de Vié-Cioutat et d'autres sites de la région. Parmi les peintures du XVIᵉ au XXᵉ siècle, françaises et étrangères, on découvre deux œuvres de Bruegel de Velours et un superbe triptyque de la Trinité attribué à Jean Bellegambe, du XVIᵉ siècle. Au sommet d'une colline aménagée en jardin, le fort Vauban domine la cité.

ARLES-SUR-TECH
Pyrénées-Orientales

Céret : 13 km
Amélie-les-Bains : 9 km

UN VIEUX BOURG SERRÉ AUTOUR DE LA PLUS ANCIENNE ABBAYE BÉNÉDICTINE DU ROUSSILLON.

Pays mystérieux et séduisant, avec ses forêts de châtaigners et ses ravins sauvages, le Vallespir est parsemé

Le Musée municipal d'Alès, installé dans le château du Colombier, possède deux œuvres de Jan Bruegel dit « de Velours » : la Terre et ses productions et la Mer. Cette peinture est une huile sur bois : une jeune femme, appuyée sur une corne d'abondance, personnifie la mer. Dans le ciel, on reconnaît un poisson volant et, au fond, Neptune sur son char, entouré de tritons et de naïades.

EN HAUT : *L'abbaye Sainte-Marie, à Arles-sur-Tech, possède le premier cloître gothique du Roussillon. Élégant et gracieux, il est composé de galeries couvertes d'un appentis soutenu par des arcades en marbre blanc de Céret, qui reposent sur des doubles colonnes en pierre de Gérone.* CI-DESSUS : *Le tympan du portail de l'abbatiale est gravé de cette curieuse croix grecque du XIᵉ siècle. Un Christ Pantocrator occupe le centre, entouré des symboles des Évangélistes.*

d'églises romanes et de villages anciens. Grand centre religieux de cette région de la vallée du Tech au caractère extrêmement varié, Arles-sur-Tech, au Moyen Âge, fut construite autour d'une abbaye bénédictine installée sur les bords du fleuve, dès le Xe siècle. Les nombreux pèlerins y vénéraient les reliques des saints Addon et Sennen, rapportées de Rome par saint Arnulphe pour protéger sa ville de la peste. À gauche de l'église, un sarcophage en marbre blanc, du IVe siècle, la « Sainte Tombe », laisse étrangement suinter depuis des centaines d'années une eau limpide. Personne n'a encore expliqué ce phénomène. La tradition veut que ce soit dans cette tombe qu'Arnulphe ait déposé un temps les reliques.

L'église, flanquée de deux tours carrées, date en majeure partie du XIe siècle. Sa façade est embellie d'arcatures et de bandes lombardes. Sur le tympan du portail figurent un Christ en majesté et les symboles des Évangélistes. À l'intérieur, un grand retable en bois doré abrite les reliques des saints orientaux et évoque, en treize panneaux, leur martyre. Le cloître gothique est d'une belle élégance. Ses quatre galeries sont couvertes d'un toit de tuile rose dont les arcades en marbre blanc s'appuient sur de fines colonnettes jumelées. À l'ombre du clocher-donjon, dans les ruelles étroites, les maisons aux balcons de fer forgé semblent assoupies. Certaines ont conservé leurs portes voûtées et fenêtres gothiques. Les demeures sur piliers de la place centrale sont pittoresques. Une autre église, Saint-Sauveur, abrite un curieux bénitier en marbre dont l'intérieur est sculpté d'une tortue et de poissons.

BAGNOLS-SUR-CÈZE
Gard

Nîmes : 48 km
Pont-du-Gard : 28 km

UN VILLAGE MÉDITERRANÉEN QUI A SU PRÉSERVER SES QUARTIERS ANCIENS.

Station thermale réputée dès l'époque romaine, Bagnols-sur-Cèze fut longtemps un vieux bourg méditerranéen qu'aimèrent Renoir et son ami, le peintre Albert André. La construction d'une usine atomique, il y a une trentaine d'années, entraîna un développement industriel considérable. Au carrefour de quatre provinces, la ville ancienne a conservé ses quartiers pittoresques et sa forme ronde de bastide. La place centrale, bordée de couverts et fermée par un bel hôtel de ville, a un caractère typiquement languedocien. De nombreuses demeures et hôtels des XVIIe et XVIIIe siècles possèdent des façades et des portails élégants. La ville nouvelle s'est accrochée au sud de la ville ancienne. Son architecture a valu à son réalisateur, Georges Candilis, le prix d'urbanisme 1959. L'histoire du musée de Bagnols est attachante. Albert André transforma le vieux musée folklorique en l'un des plus intéressants musées d'art moderne de la province, grâce aux nombreux dons des peintres de l'époque. Une donation de Georges Besson, en 1971, compléta ce parfait résumé de la peinture française du XXe siècle. Le cabinet des dessins présente des Renoir, Signac, Marquet, Picasso et bien d'autres. Sur la route d'Avignon, la maison Jourdan rassemble depuis quelques années une collection archéologique provenant des fouilles de la région.

Ce ravissant portrait d'Adèle Besson fut exécuté en 1908 par le peintre Van Dongen. Il appartient au musée d'Art moderne de Bagnols-sur-Cèze. En 1971, Adèle et Georges Besson léguèrent au musée un grand nombre d'œuvres contemporaines.

*a façade est de l'ab-
tiale d'Arles-sur-
ech est décorée de
tte gracieuse fenêtre
ulptée. Le fin travail
 la pierre contraste
ec le matériau
 la façade.*

Simple et sévère sous sa voûte en berceau, la nef centrale de la basilique Saint-Nazaire de Carcassonne se clôt sur un chevet illuminé par les baies de l'abside et des chapelles orientées, écrin parfait de vitraux du XIIIᵉ et du XIVᵉ siècle qui comptent parmi les plus précieux du Midi. Dieu est lumière, et l'intérieur de la cathédrale préfigure la Jérusalem céleste, dont les parois, selon l'Apocalypse, sont construites de pierres précieuses. La fonction du vitrail, à l'âge gothique, est de faire pénétrer la lumière du soleil dans l'édifice, tout en opérant sa transmutation. Le vitrail, c'est l'art du trésor, celui des châsses et des calices, des autels précieux qui s'incorporent à la bâtisse divine. Le vitrail définit l'espace du sanctuaire dans le scintillement de la gloire liturgique. Il en fait l'écrin d'une gloire qui annonce les splendeurs éternelles. Il transporte l'âme dans l'émerveillement. Mais il est aussi une prédication. Il enseigne. Par ses images et ses narrations, il maintient dans le juste chemin la méditation des serviteurs de Dieu.

LA GLOIRE ANNONCIATRICE
DES SPLENDEURS SURNATURELLES

Nîmes : 24 km
Avignon : 30 km

BEAUCAIRE
Gard

UNE VILLE TRÈS ANCIENNE DONT LES
CÉLÈBRES FOIRES ATTIRÈRENT PENDANT
SEPT SIÈCLES DES MARCHANDS VENUS
DE L'EUROPE ENTIÈRE.

Paisiblement étalée au bord du Rhône, entre le fleuve et le canal du Midi, face à sa jumelle Tarascon, Beaucaire presse ses maisons de tuile rose au pied d'un vieux château en ruine. Alanguie sous la lumière méditerranéenne, la ville aux foires célèbres a séduit bien des chroniqueurs. Son origine gallo-romaine intriguait Mérimée. Stendhal, dans ses *Mémoires d'un touriste*, et Daudet, dans *Numa Roumestan*, décrivent le pittoresque de la foire qui attirait chaque année une foule nombreuse et colorée. Bourgade celte puis cité gallo-romaine, Beaucaire représentait une halte idéale, au Moyen Âge, sur la route de Lyon à Barcelone. Sa foire remonte officiellement à 1217. La ville devint alors un carrefour terrestre et fluvial international, où se rassemblaient, pendant la semaine de la Sainte-Madeleine, Dauphinois, Languedociens, Provençaux, Suisses et Italiens. On y trouvait toutes sortes de marchandises, entassées dans les innombrables embarcations stationnées sur le Rhône ou dans la ville, dont chaque rue avait sa spécialité. Pendant cette semaine, l'animation était à son comble, comme le note Daudet : « [Le Rhône] lui-même n'était qu'un mouvant champ de foire, balançant ses bateaux de toutes formes venus d'Arles, de Marseille, de Barcelone, des îles Baléares, chargés de vins, d'anchois, de liège, d'oranges, parés d'oriflammes... » La foire de Beaucaire conserva pendant sept siècles sa renommée immense, avant de s'éteindre, au XIXᵉ siècle, avec l'arrivée du chemin de fer et des nouveaux moyens de communication, qui bousculèrent les traditions.

Le château de Beaucaire, dressé sur un énorme rocher, domine la Provence et les Alpilles. Élevé aux XIᵉ et XIIIᵉ siècles, il fut le théâtre d'une bataille mémorable de la croisade contre les albigeois. Un haut mur d'enceinte réunit une chapelle romane ornée d'un clocheton et d'un tympan sculpté à une grande tour triangulaire qui servait de donjon. Au sommet, la vue est splendide sur la vallée du Rhône et la sombre masse du château de Tarascon. Une impressionnante courtine à pic, jalonnée par une belle tour d'angle, témoigne de la puissance passée de l'ancienne forteresse. La prospérité de Beaucaire a piqueté la ville de superbes maisons Renaissance aux façades

Le château de Beaucaire était autrefois l'une des plus puissantes forteresses médiévales
du midi de la France. Dressé sur un éperon rocheux, il forme un rectangle irrégulier et allongé.
Près du châtelet doté d'une tour ronde, la tour polygonale, dite aussi triangulaire,
haute de 25 mètres, domine l'ensemble. Sa forme originale a été commandée
par le roc sur lequel elle a été assise.

EN HAUT : *Vestige spectaculaire du sanctuaire primitif, la frise romane de*
l'église Notre-Dame-des-Pommiers, à Beaucaire, a été encastrée à 15 mètres de hauteur dans un mur
de l'édifice du XVIIIe siècle. Douze scènes de la Passion défilent sur 14 mètres de long.
Les thèmes et la composition se rapportent à l'iconographie des peintures murales de l'église de Saint-Gilles. Ici, la Cène.
CI-DESSUS : *La belle façade curviligne de l'église. Au-dessus du portail, bas-relief de l'Assomption.*

ouvragées et d'hôtels particuliers des XVIIᵉ et XVIIIᵉ siècles.

L'influence de la foire y est sensible : les portails sont larges, les caves et les cours vastes pour entreposer les marchandises.

L'hôtel de ville est une magnifique construction du XVIIᵉ siècle, composée de deux corps de logis encadrant une cour. Une splendide loggia à deux ordres de colonnes jumelées est l'œuvre de l'architecte de La Feuille. À l'intérieur, plusieurs salles étaient réservées aux affaires de la foire. En face, le café de France est l'ancien hôtel Fermineau, élevé au XVIIᵉ siècle. L'église Saint-Paul, du XVᵉ siècle, possède sur la façade des colonnettes provenant du premier sanctuaire du XIIIᵉ siècle.

L'église Notre-Dame-des-Pommiers, du XVIIIᵉ siècle, est le plus grand sanctuaire de la cité, couvrant plus de 2 000 mètres carrés. La façade, ornée des deux ordres ionique et corinthien, n'a pas la rigueur du classicisme.

Joyau de l'église, une frise romane de toute beauté est encastrée dans la partie haute du mur oriental. Des scènes de la Passion s'y déroulent sur 14 mètres de long, dans un style savoureux. Cette sculpture appartenait à l'église romane primitive.

Installé dans l'enceinte du château, un musée retrace le passé fastueux de Beaucaire, avec des collections d'arts et traditions populaires locaux, ainsi que d'intéressantes collections archéologiques dont les objets furent découverts dans le Rhône.

À la sortie de la ville, sur la route d'Arles, il faut s'arrêter à la Croix-Couverte, un petit oratoire gothique flamboyant qui fit couler beaucoup d'encre. Personne ne sait exactement pour quelle raison il fut élevé. Peut-être en souvenir d'une halte qu'y fit, à son retour de Tunis, la mission chargée de rapporter le corps de Saint Louis en France...

EN HAUT : *La rue de la République de Beaucaire était autrefois très animée pendant les foires. Parmi les nombreuses décorations qui jalonnent les façades, cette ondulante Vierge à l'Enfant, à l'angle d'une maison.* CI-DESSUS : *La place de la République, ou place Vieille, ombragée de platanes. Bordée d'arcades, c'est l'ancienne place publique où étaient traitées les affaires communales.*

Montpellier : 64 km
Narbonne : 23 km

BÉZIERS
Hérault

UNE VILLE AU PASSÉ SOUVENT TRAGIQUE,
FIÈRE D'ÊTRE DEVENUE LA CAPITALE
MONDIALE DU VIN.

La capitale du vignoble languedocien a conservé le site qu'elle occupait dès le VIIᵉ siècle avant J.-C. sur une colline surplombant la rive gauche de l'Orb. Quand les Romains la colonisèrent, Béziers était déjà réputée pour son vignoble. Ceinte de remparts, elle devient, au IIIᵉ siècle, le siège d'un évêché important sur la route de l'Espagne, qui durera jusqu'à la Révolution. Ravagée par les Vandales au Vᵉ siècle, par les Sarrasins puis par Charles Martel, la ville fut en 1209 le théâtre d'un effroyable massacre. Ralliée aux albigeois, la ville essaya de soutenir le siège des croisés qui avaient à leur tête Simon de Montfort. Malgré une défense héroïque, la cité fut prise, pillée, incendiée. Toute la population, cathares et catholiques, fut exterminée, selon la célèbre invocation du légat Arnaud : « Tuez-les tous, Dieu reconnaîtra les siens » ! Aujourd'hui, grâce au soleil et aux vignes environnantes qui lui ont redonné une activité économique intense, Béziers est une halte paisible. Perchée sur un plateau au-dessus de l'Orb, la cathédrale Saint-Nazaire témoigne de la puissance des évêques du diocèse. Ce bel édifice fortifié, du XIIᵉ siècle, remanié jusqu'au XVᵉ siècle, est flanqué de deux tourelles crénelées. Une rose de 10 mètres de diamètre s'épanouit sur la façade. Le transept, du XIIIᵉ siècle, est un reste de l'église romane primitive incendiée par Simon de Montfort et contient de beaux chapiteaux sculptés du XIᵉ siècle. Dans le chœur, des vitraux et certaines grilles de fenêtres datent également du XIIIᵉ siècle. La voûte en étoile de la sacristie est un joyau du XVᵉ siècle. Sur le flanc sud de la nef, un cloître, du XIVᵉ siècle, abrite un musée lapidaire garni de cippes et de sarcophages gallo-romains et mérovingiens, d'une curieuse table d'autel du Xᵉ siècle et de chapiteaux romans. Un belvédère tout proche offre un superbe panorama sur le pays biterrois, avec le fleuve sinueux, le canal du Midi et l'oppidum d'Ensérune. Plus ancienne que la cathédrale, la basilique Saint-Aphrodise, dédiée au patron de la ville, renferme un sarcophage du IVᵉ siècle, que l'on dit être celui du saint et qui fait office de cuve baptismale. La crypte romane abrite une émouvante tête de Christ. Les ombrages des allées Paul-Riquet, où se dresse la statue du créateur du canal du Midi, œuvre de David d'Angers, font partie du charme de Béziers. Le ravissant pla-

*La cathédrale Saint-Nazaire, à Béziers, est impressionnante. La construction de cet imposant édifice médiéval
s'étend sur plusieurs siècles. La base du clocher date du XIᵉ, le haut du XIVᵉ siècle.
La façade occidentale fut achevée à la même époque. Son système de défense, du XVᵉ siècle,
est surtout décoratif. Le chevet (à droite) a belle allure avec ses hauts contreforts.
Malgré cette disparité de style, la cathédrale conserve une majestueuse unité.*

teau des Poètes, oasis de verdure au cœur de la ville, doit son nom aux bustes de poètes qui jalonnent ses allées.

Installé dans un couvent de Dominicains du XIVᵉ siècle, très remanié, le musée du Biterrois est consacré à l'histoire de la ville et du vin. Il doit déménager en 1989 dans l'ancienne caserne Saint-Jacques, avec le muséum d'Histoire naturelle. Une superbe collection archéologique côtoie mobilier, costumes et faïences. Dans l'hôtel Fabregat, le musée des Beaux-Arts rassemble des peintures françaises et étrangères du XVᵉ au XXᵉ siècle. L'annexe du musée, dans l'hôtel Fayet, présente des œuvres de la fin du XIXᵉ et du début du XXᵉ siècle.

CARCASSONNE
Aude

Narbonne : 61 km
Limoux : 24 km

LA CITÉ, DEUX FOIS MILLÉNAIRE, OFFRE UN TÉMOIGNAGE INCOMPARABLE SUR L'ART MILITAIRE MÉDIÉVAL.

Lorsque au détour de la plaine surgit la haute cité médiévale aux remparts hérissés de tours, l'impression est saisissante et grandiose. La réputation de Carcassonne est amplement justifiée. La ville forte représente bien l'ensemble le plus complet de l'architecture militaire du Moyen Âge. C'est à sa position géographique, au seuil de la vallée de l'Aude, gardienne du passage entre Narbonne et l'Aquitaine, que la cité doit ses formidables fortifications. À la jonction des plaines lauragaises, de la Montagne Noire et des Corbières, elle est traversée par l'Aude et le canal du Midi. Au cœur d'un pays plutôt sec, la proximité d'un fleuve rendait le site idéal.

Déjà les Romains y établissent une colonie. L'oppidum de *Carcasso* est un centre important du vin, transporté dans des amphores, dont beaucoup furent découvertes lors de fouilles. Sous l'influence romaine, la cité se pare de maisons confortables, aux belles mosaïques, qui remplacent les cabanes de chaume des premiers habitants du site, les Tectosages, venus d'Europe centrale vers 300 avant J.-C. La promenade des Lices permet de retrouver des éléments qui proviennent des premières fortifications gallo-romaines. Au Vᵉ siècle, les Wisigoths s'emparent de la ville, dont les contours sont sensiblement les mêmes qu'aujourd'hui. Carcassonne devient une importante place forte. Envahie au VIIIᵉ siècle par les Sarrasins, elle tombe un temps sous la domination franque. Comté héréditaire créé par les carolingiens, la ville est vendue aux comtes de Barcelone, avant d'être attribuée aux Trencavel, qui prennent le titre de vicomtes de Carcassonne. La cité fortifiée connaît alors quatre siècles de prospérité. Les Trencavel embellissent le château comtal, chef-d'œuvre de l'architecture militaire médiévale. Troubadours et musiciens régalent une cour raffinée. C'est l'époque des cours d'amour. La langue d'oc remplace le latin dans la littérature et les arts. Deux foires annuelles réputées pour leurs draps, leurs céréales, leurs vins ou l'artisanat attirent les marchands d'Aquitaine et de Provence, ainsi que bon nombre d'étrangers. Les bourgs Saint-Michel et Saint-Vincent s'élèvent à l'extérieur des remparts, témoins de la vitalité de la cité. Les pèlerins, sur la route d'Espagne et de la Méditerranée, font une halte à Carcassonne,

Superbe jaillissement de piliers et d'arcades, où les jeux de lumière font chanter la pierre. On reste surpris par la hauteur et le vaste volume de l'intérieur de la cathédrale Saint-Nazaire, à Béziers, élevée, selon la tradition, à l'emplacement d'un temple dédié à Auguste et à Livie. Toutes les caractéristiques de l'architecture gothique sont rassemblées ici, avec une science parfaitement maîtrisée.

EN HAUT : *La face ouest de la cité de Carcassonne avec le château comtal.
À droite, l'étroite tour Pinte, rectangulaire, servait de tour de guet. Au centre, les logis du château
se fondent avec l'enceinte intérieure de la ville. La restauration des parties hautes du corps de logis central,
esthétiquement réussie, est assez contestable sur le plan archéologique.
CI-DESSUS : À l'intérieur de la cité, un escalier qui permet d'accéder aux remparts.*

dans la cathédrale construite vers 1096 et achevée au début du XIIᵉ siècle. Les heures dramatiques de la guerre albigeoise brisent cette prospérité. Roger Trencavel ayant accordé sa protection aux cathares, une croisade menée par le légat Arnaud arrive en juillet 1209 devant les portes de la ville. Sans subir le massacre de Béziers, Carcassonne cède en moins de quinze jours aux assauts des croisés. Les terres des Trencavel sont attribuées à Simon de Montfort. Le fils de ce dernier les cède à Louis VIII, qui, au terme d'une nouvelle croisade, réunit Carcassonne à la couronne en 1229. Les fortifications sont renforcées par Saint Louis, qui fait raser les bourgs au pied des remparts et autorise la construction d'une ville plus à l'écart, sur les bords de l'Aude. C'est l'emplacement de la ville basse actuelle. La vocation militaire de la cité est encore accentuée par Philippe le Hardi, qui élève une enceinte extérieure hérissée de tours. À partir du XVᵉ siècle, Carcassonne va décliner peu à peu. Ses ouvrages militaires vieillissent. En 1659, la paix des Pyrénées éloigne la frontière franco-espagnole. La ville perd son intérêt stratégique au bénéfice de Perpignan. Le château sert de prison, et les belles maisons du Moyen Âge tombent à l'abandon. Il faut le romantisme du XIXᵉ siècle, qui remet le Moyen Âge à la mode, et l'impulsion de Prosper Mérimée pour redonner vie à la cité fortifiée. Viollet-le-Duc, séduit, commence des travaux de restauration vers 1855. Si le goût romantique, plus esthétique qu'authentique, de l'architecte fut critiqué, il eut le mérite de remettre en valeur l'architecture militaire médiévale.

Chaque année, des milliers de visiteurs découvrent Carcassonne. À l'abri de ses remparts, la cité a conservé son caractère médiéval. À l'heure où les touristes sont peu nombreux, il faut faire le tour des Lices, une promenade de plus d'un kilomètre entre les deux enceintes, qui permet de saisir les différents types d'architecture militaire depuis les Romains jusqu'au XIVᵉ siècle. Les Lices, qui offrent d'inoubliables points de vue sur la région, permettaient de bloquer l'ennemi qui avait réussi à franchir la première enceinte. Ce long couloir est jalonné de tours et de portes fortifiées. La porte Narbonnaise, véritable château fort, défendait l'entrée principale. Son châtelet crénelé et une barbacane précèdent les deux tours massives qui encadrent la porte. La porte d'Aude, à l'ouest, était accessible après une rude montée que les Carcassonnais nomment la côte pavée. Le passage

CI-DESSUS : *Sous le règne de Saint Louis, Carcassonne est entourée d'une seconde enceinte (au premier plan). Le mur gallo-romain est reconnaissable avec ses chaînages de brique. À DROITE : La nef de la basilique Saint-Nazaire, avec, au fond, une rose du XIVᵉ siècle.*

Deux de 22 grandes statue sculptées dans l pierre des piliers d la basilique Sain Nazaire de Carcas sonne. Elles évoquer les Apôtres

18

mène au bord de l'Aude et à l'église Saint-Gimer. Les portes Saint-Nazaire et de Rodez sont également de superbes modèles de portes fortifiées. Les tours possèdent chacune leur particularité. Celle de la Vade, du XIIIᵉ siècle, indépendante de l'enceinte extérieure, a gardé son puits, son four à pain et des cheminées. Les tours gallo-romaines du nord, avec deux niveaux de défenses, présentent de ravissantes tuiles méridionales et de larges fenêtres à chaînage de brique.

L'enceinte intérieure, la plus haute, qui domine les remparts extérieurs, s'adosse au château comtal. Reconstruite au XIIIᵉ siècle par les comtes de Carcassonne, cette imposante forteresse flanquée de neuf tours fut transformée en citadelle après l'annexion de la ville au domaine royal. Comme la double enceinte de la cité, le château est protégé par un système de hourds, de profonds fossés, de pont-levis et de mâchicoulis. Il était le dernier asile des habitants lors des assauts. Du décor médiéval, à l'intérieur de la demeure, ne subsistent que les peintures murales de la chambre ronde, une scène de combats entre Francs et Sarrasins, aux couleurs patinées par le temps. Un musée lapidaire expose sculptures, chapiteaux et sarcophages provenant des fouilles effectuées dans la ville et les environs. Une vasque d'albâtre de l'abbaye de Fontfroide, du XIIᵉ siècle, et le calvaire de Villanière, du XVᵉ siècle, en sont les deux fleurons. La façade sur la cour intérieure présente un style à la fois roman, gothique et Renaissance. De la cour du Midi, on peut accéder à la belle tour Pinte, qui servait de poste de guet.

La ville close est une succession de ruelles étroites bordées de maisons anciennes et de boutiques qui vivent dans le souvenir du Moyen Âge. Non loin de la place du château, le Grand Puits a englouti, assure la légende, le trésor d'Alaric. Près du théâtre de plein air, qui attire chaque année les fidèles du festival d'art dramatique, la cathédrale Saint-Nazaire est célèbre pour ses statues et vitraux exceptionnels. Fondée au Xᵉ siècle, elle est dédiée aux saints Nazaire et Celse. L'architecture romane méridionale de la nef, reste de l'église primitive, s'unit merveilleusement au transept et au vaste chœur d'un gothique aérien, sans briser les lignes pures aux proportions équilibrées. Les roses et vitraux des XIIIᵉ et XIVᵉ siècles, des écoles de l'Île-de-France et de Toulouse, sont considérés comme les plus beaux du Midi. D'admirables statues autour du chœur, des monuments funéraires et la fameuse « pierre du siège », qui relate le siège au cours duquel périt Simon de Montfort, sont les pièces maîtresses de la cathédrale. L'extérieur est moins intéressant. Viollet-le-Duc, qui s'y consacra avec passion, y ajouta trop d'éléments peu authentiques, comme le crénelage du mur ouest ou le couronnement des tourelles.

La ville basse, fondée en 1260 sur la rive gauche de l'Aude, a conservé son plan régulier de bastide. On découvre, en flânant dans les rues, la cathédrale Saint-Michel, modèle du gothique méridional, l'église Saint-Vincent, dont la haute tour-clocher domine la ville, et le Pont-Vieux. Sur la place Carnot, une belle fontaine de marbre du XVIIIᵉ siècle, consacrée à Neptune, trône au centre d'un marché coloré et plein de vie. Dans l'ancien palais de justice, le musée des Beaux-Arts, qui a pris le nom du peintre carcassonnais du XVIIᵉ siècle Jacques Gamelin, abrite un bel ensemble de tableaux anciens et contemporains, avec des œuvres de Van Goyen, Teniers, Rigaud, Courbet..., et le savoureux *Apprêts d'un déjeuner* de Chardin. Des collections de faïences, d'archéologie, de numismatique, de mobilier y sont également exposées. La ville basse a conservé le long des boulevards, quelques vestiges de ses anciens remparts, autour des deux grands jardins publics. Chaque année, le 14 juillet, habitants et touristes s'y pressent pour admirer l'embrasement de la cité fortifiée, spectacle grandiose où les remparts semblent incendiés, vision fantastique que les romantiques, qui réhabilitèrent le Moyen Âge, ne renieraient certainement pas.

Le Musée lapidaire de Carcassonne, installé dans des salles du château comtal, offre de précieux vestiges, recueillis dans la cité et les environs. Parmi eux, ces chapiteaux gothiques, merveilleusement ciselés.

Carcassonne : 43 km
Fanjeaux : 20 km

CASTELNAUDARY
Aude

HALTE PAISIBLE, LA PETITE VILLE VIT AU RYTHME DE SON CANAL.

À la lisière du Lauragais, point de passage antique reliant le Narbonnais au Toulousain, le gros bourg de Castelnaudary dresse ses toits de tuile rose dans un paysage de plaine céréalière. Bourgade celtique puis romaine, assiégée par deux fois lors de la guerre albigeoise, Castelnaudary devient sous Louis XI la capitale du comté de Lauragais. Sa prospérité ne cesse de croître grâce à la création d'un collège en 1572 par l'évêque de Saint-Papoul. La ville garde le souvenir de la célèbre bataille de 1632, où le duc de Montmorency, gouverneur du Languedoc, affronta les troupes de Louis XIII qui voulaient déposséder les états du Languedoc de leur droit de répartir et lever les impôts. L'armée royale fit prisonnier le duc, qui fut exécuté à Toulouse sur l'ordre de Richelieu. À la même époque, la création du canal du Midi renforce la richesse de la ville et lui vaut un trafic commercial intense. Au XIXᵉ siècle, Castel-naudary, avec Saint-Papoul et Issel, est réputée pour ses fabrications de poterie.

Aujourd'hui, le charme de la petite ville tient beaucoup à sa situation au bord du canal et à l'aménagement d'un plan d'eau ombragé, le Grand Bassin. Il abrite un port de plaisance et sert de réservoir pour le passage des écluses de Saint-Roch. Au nord de Castelnaudary, sur la colline du Pech, le moulin de Cugarel est le dernier survivant d'une dizaine de moulins qui peuplaient les environs. Élevé au XVIIᵉ siècle et restauré il y a quelques années, il offre une belle vue sur le Lauragais. L'église Saint-Michel, du début du XIVᵉ siècle, est percée de deux portails gothique et Renaissance, et ajourée de rosaces de toute beauté. Son clocher-porche domine les vieilles maisons aux façades ouvragées.

L'une d'elles a apposé au-dessus de sa porte une représentation de Bacchus, rappelant que les premières vignes furent plantées en Gaule par les Romains.

*L'*amusant clocher-porche de l'église Saint-Michel, à Castelnaudary. Il enjambe en arcade brisée la rue de la Chanoinie. Élevé au XIVᵉ siècle, en ruine au moment des guerres de Religion, il fut restauré au XVIIIᵉ siècle.*

*A*utrefois, de nombreux moulins peuplaient la campagne de Castelnaudary.
Seul survivant, le moulin de Cugarel domine la plaine du Lauragais, des hauteurs de la colline du Pech.
Il remonte au XVIIᵉ siècle. Depuis quelques années, sa toiture mobile et l'ancien système de meunerie
ont été reconstitués. Aujourd'hui, c'est l'une des curiosités de la ville.
Grâce à des visites guidées, on redécouvre les anciennes fonctions du moulin.

EN HAUT : *Le château de Castries à travers les arbres du parc.*
La demeure, en pierre blonde du Midi, fut mentionnée pour la première fois au XIᵉ siècle.
Reconstruite au XVIᵉ, remaniée un siècle plus tard, elle a encore été restaurée il y a quelques années.
Des terrasses mènent au parc et aux jardins. CI-DESSUS : *Le portique à colonnes doriques du corps de logis*
principal abrite un buste de Louis XIV attribué à Pierre Puget.

CASTRIES
Hérault

UN MAGNIFIQUE CHÂTEAU CLASSIQUE QU'ON A SURNOMMÉ « LE VERSAILLES DU LANGUEDOC ».

Montpellier : 12 km
Sommières : 16 km

Tout proche de Montpellier, au cœur de la garrigue, le village de Castries est connu pour son imposant château qui domine la plaine jusqu'à la Méditerranée. Construit au pied d'une colline sur le passage de la voie Domitienne, Castries fut vraisemblablement un ancien castrum romain auquel il doit son nom. Édifié au XVIe siècle sur une butte où s'élevait un château gothique, le château actuel a été la propriété, jusqu'à nos jours, de la famille de Castries. Remanié au XVIIe siècle et restauré depuis peu, il possédait deux ailes dont l'une fut détruite pendant les guerres de Religion. Le long bâtiment principal est flanqué de deux tours carrées. Donnant sur la cour d'honneur, l'aile ouest, d'un style Renaissance austère, est intacte. Des peintures de l'école de Boucher, des portraits de famille et un beau mobilier composent l'intérieur. Dans la grande salle des états du Languedoc, superbement meublée, trône un poêle de faïence de Nuremberg. Les pierres de l'aile disparue servirent à construire les terrasses qui surplombent le magnifique parc dessiné par Le Nôtre. Pour alimenter en eau les bassins, Paul Riquet construisit un aqueduc qui court toujours dans la garrigue sur sept kilomètres et donne au paysage un aspect de campagne romaine. Dans le village, l'église romane, en ruine, a conservé de beaux chapiteaux dont l'un est orné d'un Christ en majesté.

a vaste salle des ats du Languedoc, château de Cas-es, expose au milieu un mobilier des XVIIe XVIIIe siècles ce and poêle en faïence e Nuremberg, extrê- ement ciselé.

LE CAYLAR
Hérault

UN BOURG AU NOM RÉVÉLATEUR QUI SIGNIFIE « ROCHER ».

Millau : 42 km
Lodève : 19 km

Au cœur du causse du Larzac, aux paysages contrastés de plateaux arides et de vallées verdoyantes, le site du Caylar est extrêmement curieux. Dominé par des rochers très découpés, le village vu de loin donne l'impression d'être entouré de remparts impressionnants. Fortifié au Moyen Âge, Le Caylar a conservé sa structure médiévale et s'ouvre par la tour de l'Horloge, un vestige de l'ancienne enceinte. De part et d'autre de venelles tortueuses, les maisons s'ornent parfois d'éléments des XIVe ou XVe siècles, portes, fenêtres ou sculptures réemployées. L'église renferme un curieux retable de la vie de la Vierge en pierre sculptée du XVe siècle et un Christ mutilé en bois du XVIe siècle. Au sommet du bourg, la vue est belle sur les rochers dolomitiques et le plateau du Larzac. La chapelle romane du Rocastel, au-dessus du village, renferme un autel de pierre du XIIe siècle. C'était le sanctuaire d'une forteresse démantelée sur l'ordre de Richelieu, lors de la paix d'Alais.

Édifié sur une hauteur, le château de Castries et son parc dominent la plaine de Montpellier, qui s'étend jusqu'à la Méditerranée. Fermée en fond de perspective par une grotte abritant une statue de l'Amour, la seconde terrasse en palier a reçu un parterre de broderie de buis, composé à la manière de Le Nôtre. On y accède par la cour d'honneur

Perpignan : 30 km

CÉRET
Pyrénées-Orientales

AU CŒUR DU VALLESPIR, LE BERCEAU DU CUBISME.

Baigné par le Tech, le Vallespir, foyer de la tradition catalane au nord des Pyrénées, possède deux visages, montagnard par ses torrents et ses ravins et pastoral avec les vergers et cultures des fonds de vallée. Au milieu de cerisiers, de pêchers et d'abricotiers, Céret est une cité de la plaine, havre de paix enjolivé de cours ombragées et de fontaines. La ville fut habitée dès la préhistoire, traversée par Hannibal, occupée par les Romains, avant de devenir le berceau de l'important mouvement artistique désigné sous le nom de cubisme, au début du XXᵉ siècle. À l'entrée de la ville, le pont du Diable, du XIVᵉ siècle, enjambe le Tech d'une seule arche de pierre jetée à 30 mètres au-dessus de la rivière. On y découvre le panorama admirable du massif du Canigou et des Albères. Cet impressionnant ouvrage est une des curiosités du pays. Plusieurs fois emporté par les eaux, il fut reconstruit par le Diable en personne, raconte la légende, entre le premier et le douzième coup de minuit. La vieille ville préserve quelques belles demeures. Des anciens remparts subsistent les portes fortifiées de France et d'Espagne, du XIVᵉ siècle, et trois tours. C'est Maillol qui sculpta le monument aux morts. L'église Saint-Pierre, reconstruite au XVIIIᵉ siècle, a conservé son clocher roman et un portail en marbre blanc du XIVᵉ siècle. Non loin, la fontaine des Neuf-Jets date également du XIVᵉ siècle. Un monument dédié à Picasso,

Au Moyen Âge, la ville de Céret est prospère. Un pont est construit au XIVᵉ siècle au-dessus du Tech et devient le seul moyen d'accès à la petite cité. Parfaitement conservé, celui-ci enjambe la rivière d'une arche élégante, en schiste, à 30 mètres de hauteur. Le passage sur le pont, en dos d'âne assez accentué, est très étroit. Cela explique l'ancienne importance stratégique du bourg, situé aux derniers contreforts des Pyrénées catalanes.

réalisé d'après un dessin du maître, la *Sardane de la paix*, s'élève face aux arènes. Installé dans un ancien couvent de carmes, le musée d'Art moderne rassemble des œuvres très variées, notamment 59 pièces de Picasso ainsi que des toiles de Maillol, Max Jacob, Cocteau, Dalí, Matisse et Chagall.

Le portail en marbre de l'église Saint-Pierre, à Céret, fut construit au XVIᵉ siècle. Il est pittoresque par son amusant décor baroque.

CLERMONT-L'HÉRAULT
Hérault

Montpellier : 41 km
Lodève : 20 km

UN GROS BOURG VITICOLE, BLOTTI AU PIED D'UN CHÂTEAU MÉDIÉVAL.

Situé près du confluent de la Lergue et de l'Hérault dans une plaine viticole où se mêlent la vigne et les pâturages, Clermont-l'Hérault aurait été fondé par les Phocéens vers le VIIIᵉ siècle avant notre ère. Les ruines du château du XIIᵉ siècle, où subsistent d'épaisses tours rondes, surveillent toujours du haut d'une colline la ville et la plaine environnante. Le bourg, spécialisé dans la production du raisin de table, a préservé son charme d'autrefois. Les ruelles du vieux quartier, dégringolant de la colline, sont jalonnées de maisons des XVᵉ, XVIᵉ et XVIIᵉ siècles. L'église Saint-Paul, entreprise en 1276 et fortifiée pendant la guerre de Cent Ans, est d'une ampleur surprenante pour une petite ville. Le chevet à mâchicoulis et les échauguettes faisaient partie du système de défense. La façade ouest, dotée d'une haute tourelle, est percée d'une rosace. Le portail nord est surmonté d'un clocher-donjon octogonal des XIVᵉ-XVᵉ siècles. L'intérieur, d'une élégante harmonie, ne dément pas sa réputation de plus bel édifice gothique de l'Hérault. La ville possède deux autres églises gothiques, Saint-Dominique, caractéristique du style méridional, et Notre-Dame-du-Peyrou. À quelques kilomètres de Clermont-l'Hérault, le cirque de Mourèze mérite une visite pour son spectaculaire chaos rocheux aux formes tourmentées.

LA « MECQUE DU CUBISME »

Au début du XXᵉ siècle, un groupe de peintres d'avant-garde est attiré à Céret par le sculpteur catalan Manolo, qui y vit depuis 1907, et la petite ville va devenir le berceau du cubisme et du fauvisme. Accompagné de Picasso, Braque et Max Jacob, le compositeur Déodat de Séverac s'y installe et compose la musique d'*Héliogabale*. En 1910, Kisling, l'un des représentants de l'école de Paris, y peint ses premières toiles. Si Manolo et Braque se détachent assez vite du groupe cubiste, Picasso en prend la tête. Vivant foyer de la tradition catalane, Céret, entrée dans l'histoire de l'art contemporain, séduit les artistes par sa belle lumière et ses paysages souriants. Une seconde vague de peintres, attirés par son atmosphère artistique et le souvenir de la bande de Picasso, arrive à Céret à la fin de la Seconde Guerre mondiale. Pierre Brun, Soutine et Krémègne en font partie. Manolo et Déodat de Séverac reviennent. Le célèbre peintre espagnol Juan Gris, Herbin et, plus récemment, Dufy subirent également le charme de la petite cité.

Sur la place de la Liberté, à Céret, le monument aux morts est une œuvre d'Aristide Maillol. L'artiste avait subi le charme de la petite ville du Roussillon, et y fit de nombreux séjours.

Perpignan : 25 km

COLLIOURE
Pyrénées-Orientales

UNE ANCIENNE VILLE FORTE TYPIQUE DE LA
FRANCE MÉDITERRANÉENNE.

Blottie dans l'une des innombrables anses du littoral déchiqueté de la côte Vermeille, Collioure, au pied de hauteurs escarpées, jouit d'un site exceptionnel. Station balnéaire appréciée, la ville est aussi un port de pêche célèbre pour ses langoustes et ses anchois mis en conserve sur place. Ce dynamisme commercial se perd dans la nuit des temps. L'antique « Cauco Illiberis » était déjà un port commerçant sous les Romains. Détruit par les invasions arabes, le bourg fut reconstruit au Xe siècle par les comtes de Barcelone. Les rois de Majorque en firent leur résidence d'été et logèrent les Templiers dans le château médiéval. Charles Quint renforça les défenses et fit bâtir le fort Saint-Elme et le fort Miradou, avant les nouvelles fortifications de Vauban au XVIIe siècle.

Le vieux bourg fortifié, encadré par l'église et le château royal, est séduisant, avec en arrière-plan les Albères, dernier contrefort des Pyrénées, la mer bleue, une lumière méditerranéenne éblouissante et une nature encore sauvage. Le clocher de l'église Saint-Vincent est l'ancien phare, rehaussé au XVIIe siècle et pourvu d'un dôme rose de style arabe. Horace Chauvet écrivait que l'église « se termine en pointe par la verticale heureuse d'une tour que tous les peintres s'arrangent pour placer dans leurs tableaux ». Collioure est en effet l'un des endroits du Roussillon les plus admirés des peintres. Matisse, Derain et Dufy l'ont immortalisé dans leurs toiles, Picasso et Foujita y séjournèrent. Le poète Antonio Machado, alors en exil, y mourut en 1939. L'intérieur de l'église est un véritable musée d'art baroque, meublé de neuf retables sculptés en bois doré. Le maître-autel, de Joseph Sunyer, est un gigantesque triptyque à trois étages qui prodigue à profusion statues, colonnes et pilastres. Les bas-reliefs polychromes du premier étage évoquent l'Adoration des mages et des bergers. Au-dessus, entre les colonnes torses, les Apôtres entourent la Vierge de l'Assomption surmontée d'une statue de saint Pierre. Le trésor de la sacristie abrite de précieux objets d'art, un reliquaire de la vraie Croix en argent doré du XVIe siècle, et une Vierge du XVIIe siècle qui proviendrait de l'ancienne église de la ville haute, rasée par Vauban.

Derrière l'église, le quartier du Mouré fait grimper ses ruelles pittoresques au-dessus des toits jusqu'au fort Miradou. Devant le port d'Avall, la mer fouette la butte rocheuse où se dresse le château royal. Il existait déjà en 1280, sous Jacques II, fut agrandi par le roi d'Aragon Pierre IV, en 1344, renforcé par les Espagnols au XVIe siècle et par Vauban qui fit ajouter l'enceinte extérieure. Dans la demeure, flanquée de deux tours rectangulaires, on peut visiter la salle de la Reine, du XIVe siècle, voûtée d'ogives, et la salle des frères de l'ancien couvent des Templiers. Au cœur d'un parc dominant la baie de Collioure, une maison ancienne abrite un musée où sont réunies les donations de trois peintres régionaux, Jean Peské, Balbino Giner et Descossy.

Profondément creusée par la mer dans le massif des Albères, la côte Vermeille a toujours été habitée. Le petit port de Collioure est bâti autour d'une délicieuse baie. La vue du vieux bourg fortifié, resserrée entre l'église et l'ancien château, séduisit bon nombre de peintres.

Le plus beau retab de l'église Saint-Vi cent, à Collioure, e dédié à Notr Dame-de-l'Assom tion. Daté de 169 il fut réalisé p Joseph Sunyer da le style baroq catalan (détai

Prades : 11 km
Villefranche-
de-Conflent : 5 km

CORNEILLA-DE-CONFLENT
Pyrénées-Orientales

UN PETIT VILLAGE DE LA VALLÉE DE LA TÊT,
OÙ NICHE UNE ÉGLISE DE TOUTE BEAUTÉ.

Le Conflent, traversé par la vallée de la Têt où bruissent rivières et torrents, est l'une des plus riches régions du Roussillon. La route de Vernet-les-Bains, bordée de vergers, passe par Corneilla-de-Conflent. Le bourg était, au XIᵉ siècle, la résidence d'été des comtes de Cerdagne et de Conflent. Une communauté de chanoines de Saint-Augustin s'y installa. L'église actuelle, des XIᵉ et XIIᵉ siècles, est en tous points remarquable. Sur sa façade en marbre blanc, crénelée, se détache un superbe portail encadré par six colonnes sur lesquelles prennent appui trois moulures en demi-cercle différemment ouvragées. Les chapiteaux sont peuplés de feuillages et d'animaux. Le tympan est orné d'une Vierge en gloire, assise sur un trône dont les accoudoirs sont des têtes de lions. Deux anges sont agenouillés à ses côtés. Une inscription en latin assure : « Vous qui êtes en vie, venez honorer celle par qui le monde est régénéré. » C'est l'un des rares exemples de tympan sculpté en Roussillon. Une belle fenêtre romane s'ouvre au-dessus du portail et le puissant clocher carré percé de larges baies est un parfait modèle du style lombard du XIᵉ siècle. Il faut aussi admirer l'abside aux formes pures, image d'une spiritualité sereine, qui est couronnée d'une série d'arcatures en plein cintre qui retombent sur des sculptures de monstres ou de masques humains. Chacune de ses trois magnifiques fenêtres romanes est surmontée de moulures et encadrée de fines colonnettes aux chapiteaux chargés de feuillages et d'animaux, sirènes, oiseaux et monstres. L'intérieur de l'église surprend par la richesse de son mobilier. Deux Vierges assises, romanes, veillent dans le chœur et celle de gauche, en bois, est caractéristique du style catalan du XIIᵉ siècle. Une troisième Vierge à l'Enfant en marbre, du

XIVᵉ siècle, serait la Vierge vénérée de Saint-Michel-de-Cuxa. Le marbre des tables d'autel, des chapelles et du retable du maître-autel se mêle au bois des sculptures, à la facture primitive savoureuse. L'ensemble présente un précieux catalogue de l'art roman catalan.

COUSTOUGES
Pyrénées-Orientales

Arles : 20 km

LE BOURG LE PLUS MÉRIDIONAL DE FRANCE.

Tout proche de la frontière espagnole, le village montagnard de Coustouges était à l'origine un poste de garde des Romains, destiné à surveiller le passage du col entre le bassin du Tech et celui de la Muga. L'église fortifiée, orgueil du bourg, a gardé son unité d'origine. Consacrée en 1142, elle appartenait à l'abbaye d'Arles-sur-Tech. Construite en pierre de taille, l'église possède un clocher crénelé, autrefois tour de défense, qui accentue son allure massive. La façade et le chevet sont couronnés de créneaux et, pour le chevet, d'une fine bande d'arcatures. On entre dans l'église par deux portails successifs. Le premier est surprenant par l'exubérance de sa décoration. Les sculptures du tympan et de l'archivolte, sans ordre apparent, sont étonnantes de vie et de réalisme. Le second portail, constellé également de sculptures, est une merveille de finesse et d'harmonie. Il est encadré de quatre colonnes dont deux torsadées, qui portent de magnifiques chapiteaux. Le tympan est couvert d'un décor de fleurs stylisées, qu'entourent à profusion des fruits, des fleurs, des masques d'hommes et de monstres. Les vantaux des portes ont gardé leurs ferrures romanes. L'intérieur du sanctuaire est d'une architecture originale avec une nef rétrécie à l'entrée du chœur. De part et d'autre de la nef, les chapelles voûtées d'arêtes reposant sur des tores représentent l'une des plus anciennes formes de voûtes d'ogives de la région. La grille en fer forgé du chœur est romane.

L'église Sainte-Marie de Corneilla-de-Conflent est l'ancien prieuré des chanoines de Saint-Augustin. Sur une façade en bel appareil, du XIIᵉ siècle, ce tympan présente une Vierge en majesté entourée d'anges, thème exceptionnel en Roussillon.

Cette Vierge à l'Enfant romane, en bois polychrome, appartient à l'église de Corneilla-de-Conflent. Très expressive dans les proportions de son visage, elle est typique de la sculpture pyrénéenne.

DORURES, CISELURES ET TORSADES EXUBÉRANTES

On ne sait s'il naquit à Prades ou à Perpignan au XVIIᵉ siècle. Toujours est-il que Joseph Sunyer, membre éminent de la confrérie perpignanaise de Saint-Luc, qui comprenait six autres sculpteurs, est connu pour les nombreux ouvrages qu'il exécuta ou dirigea dans les églises du Roussillon. D'un foisonnement grandiose, le maître-autel de l'église de Prades, par exemple, est caractéristique de son art : d'une beauté imposante, il est construit en forme de triptyque et accumule statues, colonnes torses et hauts-reliefs. Celui de Saint-Vincent de Collioure est peut-être encore plus grandiose, déploiement gigantesque sur trois étages d'une exubérance étourdissante. Il faut également citer les églises de Thuir, de Vinça ou de Rox, comme parfaits témoignages de son art baroque et dramatique. Mais son chef-d'œuvre est sans doute la petite chapelle du Camaril de Font-

Romeu (ci-dessous), qu'il aménagea en 1712. Il s'agit d'une chambre carrée de 4 mètres seulement de côté, dont le décor typiquement catalan est empreint d'une émotion touchante. L'autel aux panneaux peints est surmonté d'un Christ qu'encadrent la Vierge et saint Jean, tandis que les anges musiciens des angles et les médaillons des portes témoignent à la fois de la délicatesse et de l'exubérance de l'artiste. Si ce type d'architecture et d'ornementation semble parfois très chargé, les proportions restent toujours harmonieuses, et la virtuosité de Sunyer n'est jamais mise en défaut. Cet univers de sculptures implorantes, émouvantes ou déchirées, mis en valeur par des ciselures, des torsades et des dorures, exprime en fin de compte un sens imagé, parfois naïf, de l'expression, qui trouve un écho certain dans les esprits imaginatifs du Sud méditerranéen.

Perpignan : 14 km
Argelès-sur-Mer : 8 km

ELNE
Pyrénées-Orientales

L'ANCIENNE CAPITALE DU ROUSSILLON
A CONSERVÉ DE SON PASSÉ
L'ENSEMBLE DE SON
ARCHITECTURE RELIGIEUSE.

À six kilomètres de la mer, au sud de Perpignan, Elne fut longtemps une halte importante sur la route de l'Espagne. La légende raconte que, lors de son voyage méditerranéen, Hercule, en passant à Elne, séduisit Pyrène, la fille du roi Bebrix, qui s'immola par le feu dans la montagne après son départ. Elne se serait appelée un temps Pyrène, et c'est à elle que l'on doit le nom des Pyrénées. À l'époque des Ibères, Elne s'appelle « Illiberis » puis se nomme « Castrum Hélène » (devenu Elne) par la volonté de l'empereur Constantin, fils de sainte Hélène. Siège épiscopal à partir du VIᵉ siècle de notre ère, la ville perd peu à peu de son importance, car elle est souvent pillée et détruite à cause des rivalités qui existaient entre le Roussillon et la Catalogne.

La cathédrale Sainte-Eulalie-et-Sainte-Julie, de style lombardo-provençal, est splendide avec sa couleur cuivre et sa façade crénelée. Son haut clocher carré à bandes lombardes fut doublé plus tard d'un petit clocher de brique. Élevée au XIᵉ siècle, c'est une basilique sans transept avec une longue nef aux lignes pures et aux voûtes en berceau. Les six chapelles méridionales furent ouvertes aux XIIIᵉ, XIVᵉ et XVᵉ siècles, et témoignent des différentes phases de l'art gothique. Les amateurs d'art peuvent admirer la table romane en marbre du maître-autel, le retable peint du XIVᵉ siècle figurant l'histoire de l'archange saint Michel et un beau bas-relief du XVᵉ siècle. Au bas de la nef, une vasque romaine en marbre creusée

de cannelures fait office de bénitier. Sur le flanc nord de l'église s'adosse le cloître, chef-d'œuvre d'architecture et de sculpture, « d'une admirable élégance », note Mérimée. Il est vrai que son mélange de styles roman et gothique n'a pas altéré son homogénéité architecturale. Élevé à l'origine sur deux étages, il a conservé ses quatre galeries couvertes de voûtes ogivales. La plus ancienne et la plus remarquable est la galerie du sud, du XIIᵉ siècle, en marbre blanc, éblouissant au soleil. Chaque travée est jalonnée de gros piliers carrés entre lesquels sont disposées de fines colonnettes jumelées reliées entre elles par des arcs ciselés de rosaces et de visages. Le plus extraordinaire reste les chapiteaux aux sculptures infiniment fouillées. Feuillages et fleurs se mêlent aux figures humaines et aux animaux de toutes sortes. Lions, béliers, monstres étranges, personnages antiques et mythologiques, Rois mages et scènes de l'Ancien et du Nouveau Testament sont sculptés avec un réalisme et une finesse d'exécution qui témoignent de l'habileté des artistes. Certaines sculptures de la galerie sud ont été reprises dans les trois autres galeries, des XIIIᵉ et XIVᵉ siècles. Mais le charme reste le même, l'art gothique ayant affiné les visages et délié les corps. La galerie abrite des sarcophages des VIᵉ et VIIᵉ siècles. Un escalier permet d'accéder à une terrasse d'où la vue est splendide sur les Albères et les tours de la cathédrale, au premier plan. Attenant au cloître, un musée, installé dans l'ancienne chapelle Saint-Laurent du XIIᵉ siècle, rassemble des céramiques grecques, gallo-romaines ou ibériques provenant des fouilles effectuées sur le site d'Elne. On peut voir une exposition sur l'histoire de la cité dans les salles capitulaires. L'ensemble de la cathédrale et du cloître est assurément l'exemple le plus complet de l'art roman dans la région.

La galerie est du cloître d'Elne est une merveille pour sa sculpture gothique. Cette Annonciation décore l'un des piliers. Un cycle de scènes du Nouveau Testament se poursuit sur les tableautins, à la retombée des ogives.

Béziers : 12 km
Capestang : 7 km

Carcassonne : 20 km
Limoux : 26 km

ENSÉRUNE
Hérault

UN OPPIDUM LANGUEDOCIEN,
POINT STRATÉGIQUE SUR
LE CHEMIN DE DIFFÉRENTES
CIVILISATIONS.

À la frontière de l'Aude et de l'Hérault, surplombant la plaine biterroise de 120 mètres, l'oppidum d'Ensérune nous rappelle que cette région fut le témoin d'un brassage extraordinaire de civilisations. Les fouilles qui débutèrent vers 1915 permirent de découvrir la vie de ses habitants pendant les siècles qui précédèrent la conquête romaine. Si l'oppidum d'Ensérune fut aménagé en réserve de vivres au VIᵉ siècle avant J.-C., il n'est occupé par une civilisation, ibéro-grecque, qu'aux IVᵉ et IIIᵉ siècles avant notre ère. À cette période appartiennent une nécropole à incinération, le plan d'urbanisme des maisons de pierre et une enceinte fortifiée. Au IIIᵉ siècle avant J.-C., la ville doit posséder plus de 8 000 habitants, à en juger par l'ensemble des citernes creusées dans le sol pour ravitailler le lieu en eau. À la fin du IIIᵉ siècle, des envahisseurs (peut-être Hannibal et les armées puniques) détruisent Ensérune. L'oppidum est alors reconstruit et retrouve sa prospérité avec l'arrivée des Romains. La paix permet aux habitants de s'installer dans la plaine. L'éperon d'Ensérune n'a plus sa raison d'être et disparaît au cours du Iᵉʳ siècle de notre ère. Ce site privilégié constitue l'une des visions les plus complètes de l'art antique méditerranéen, du VIᵉ au Iᵉʳ siècle avant J.-C. Un musée expose les objets exhumés lors des fouilles. Jarres, céramiques, vases, poteries d'origine phocéenne, ibérique, grecque, étrusque ou romaine garnissent les vitrines du rez-de-chaussée, accompagnés de panneaux explicatifs sur le site. Au premier étage, d'admirables vases grecs et céramiques grecques, hellénistiques ou italiotes, côtoient un mobilier funéraire du Vᵉ au IIIᵉ siècle avant J.-C., et... un œuf intact déposé dans une tombe il y a plus de 25 siècles ! Une petite vitrine expose la célèbre coupe de « Procris et Céphale ».
Du sommet de l'oppidum, où des tables d'orientation ont été aménagées, on découvre un vaste panorama sur la plaine, la mer, des Cévennes au Canigou.
Au nord, au pied de la colline, une curieuse roue solaire est dessinée sur le sol. C'est l'ancien étang de Montady, asséché au XIIIᵉ siècle. Un faisceau rayonnant de fossés fut creusé pour drainer les eaux dans un collecteur au centre. De là, un canal conduisait les eaux jusqu'à un autre étang.

FANJEAUX
Aude

UN HAUT LIEU DU CATHARISME, OÙ
S'INSTALLA SAINT DOMINIQUE.

Le nom de Fanjeaux vient de *Fanum Jovis*, le « temple de Jupiter », rappelant l'époque où les Romains avaient fait de ce village un lieu sacré en y construisant un temple. Élevé sur une butte qui veille sur la plaine du Lauragais, Fanjeaux se souvient du temps des cathares. Parti de son Espagne natale en 1203, le futur saint Dominique s'installe au pied du village pour combattre l'hérésie cathare. Il y demeure neuf ans et y fonde une communauté active de frères et de sœurs. L'église est un édifice de la fin du XIIIᵉ siècle, au décor remarquable avec son plafond gothique orné de gracieux médaillons. Des peintures du XVIIIᵉ siècle enjolivent le chœur. La chapelle Saint-Dominique abrite la fameuse poutre qui commémore un miracle de saint Dominique : lors d'une joute oratoire publique entre saint Dominique et le célèbre prédicateur cathare Guilabert de Castres, personne n'arriva à désigner un vainqueur. On s'en remit à la justice divine en jetant au feu les manuscrits que lisaient les deux opposants. Le texte de saint Dominique, sans brûler, fut

*ne partie du site
Ensérune. Le long
s allées, les
uilles ont mis au
ur des restes de
banes en pierre,
rte de celliers aux
ois quarts enterrés.*

Cherchant à regagner les fidèles détournés vers le catharisme dans le midi de la France, l'Église envoya saint Dominique prêcher à Fanjeaux. C'est là que le saint, en 1206, aurait décidé de fonder son ordre. La maison où il demeura pendant neuf ans était la sellerie du château aujourd'hui disparu. La « chambre Saint-Dominique » a gardé poutres, cheminée et boiseries, où se détache ce visage de l'illustre prédicateur.

projeté du feu jusqu'au plafond où il noircit une poutre, qui est religieusement conservée à la voûte de la chapelle. Ce miracle fut immortalisé par Fra Angelico sur l'une de ses toiles. Un autre miracle est commémoré par une stèle au Segnadou. Saint Dominique vit descendre une boule de feu sur le hameau de Prouille. Le saint décida alors de fonder à cet endroit son premier couvent pour les femmes cathares converties. On peut visiter la maison de Dominique, près de l'église, très restaurée. Sa chambre fut transformée en oratoire en 1948. L'ensemble du village a gardé son caractère ancien avec ses maisons à pans de bois des XVII* et XVIII* siècles, ses halles et ses ruelles médiévales.

important, l'ancien château, qui appartenait en 1219 à la famille d'Anduze, joua un rôle de premier plan lors de la guerre des camisards. Le château actuel, du XVII* siècle, flanqué de deux tours rondes aux toits en poivrières, est le siège de l'administration du parc national des Cévennes. On y trouve des expositions sur le parc, la faune et la flore, et des renseignements sur les excursions pédestres et équestres des environs. La maison de la Présentation est une ancienne commanderie des Templiers. Sa façade et son portail, du XVI* siècle, ainsi que sa tour carrée sont superbes. La principale curiosité de Florac est la source du Pêcher, une résurgence du causse Méjean, qui jaillit au pied du rocher de Rochefort ; elle traverse la ville et rejoint le Tarnon.

FLORAC
Lozère

Mende : 39 km
Ispagnac : 10 km

POINT DE RENCONTRE DE DEUX PROVINCES, DANS UN SUPERBE SITE OÙ SE SUCCÈDENT VERGERS ET PRAIRIES, PROFONDES VALLÉES ET GORGES SAUVAGES.

Nichée dans la vallée du Tarnon, la petite ville de Florac est à la jonction de trois massifs, Causse, mont Lozère et Cévennes. Dominée par le rocher de Rochefort, à l'entrée des gorges du Tarn, elle jouit d'un climat doux et vivifiant qui en fait une halte appréciée. Capitale d'une des huit baronnies du Gévaudan, Florac fut le théâtre de luttes religieuses acharnées. Centre protestant

FONTCAUDE
Hérault

Béziers : 18 km
(nord-ouest)

HALTE SUR LE CHEMIN DE COMPOSTELLE, UNE ABBAYE À LA BEAUTÉ MÉLANCOLIQUE.

Au cœur d'un paysage sauvage, les ruines de l'abbaye de Fontcaude dont le nom signifie « fontaine chaude », ne disparaissent plus sous la végétation. D'actives restaurations ont dégagé le sanctuaire roman, où chaque année ont lieu des concerts. Fondée au XII* siècle par les prémontrés, l'ordre de saint Norbert qui connut un grand rayonnement au Moyen Âge, l'abbaye, étape sur l'une des voies du pèlerinage de Compostelle,

*U*ne merveille de l'art roman perdue en pleine garrigue : l'abbaye de Fontcaude, du XII* siècle, a été récemment restaurée. Il reste les murs du monastère et l'église abbatiale. On distingue le chevet de l'église, très harmonieux et équilibré.

fut ruinée pendant les guerres de Religion. L'abbatiale n'a plus de nef, mais le transept et le chevet sont à peu près intacts, avec une architecture d'une belle sobriété. Il ne reste que des fragments du mur du cloître, au sud de l'église. Un musée a conservé des chapiteaux d'une finesse exceptionnelle. Les sculptures, attribuées au Maître de Fontcaude, datent vraisemblablement du XIIIᵉ siècle.

FONTFROIDE
Aude

« FONTFROIDE, LES EAUX Y SONT GLACÉES MAIS LES CŒURS SONT DE FLAMME » (DÉODAT DE SÉVERAC).

Narbonne : 14 km (sud-ouest)

Dans une région montagneuse et chaotique, au milieu d'une forêt d'arbousiers et de cyprès, se cache l'une des plus belles abbayes cisterciennes méridionales. Le site sauvage des Corbières était propice au silence et à la prière. Des moines y fondèrent un monastère en 1093, près d'une source, « Fons froide », qui lui donnera son nom. L'abbaye se rattache à l'ordre de Cîteaux en 1145, et connaît un développement immense aux XIIIᵉ et XIVᵉ siècles. L'assassinat de l'un de ses moines, Pierre de Castelnau, l'envoyé du pape Innocent III, est à l'origine de la croisade contre les albigeois. Le futur pape Benoît XII dirigea un temps l'abbaye. Détruite à la Révolution, Fontfroide renaît au début du XXᵉ siècle, grâce aux efforts de ses propriétaires. L'abbaye est un parfait modèle de l'architecture cistercienne en Languedoc, d'une très belle unité. Avec ses jardins à l'italienne et ses cours fleuries, le cadre est enchanteur. L'entrée par la cour d'honneur, œuvre des abbés du XVIIᵉ siècle, longe la salle des gardes du XIIIᵉ siècle, voûtée d'ogives, et mène aux bâtiments médiévaux. Le cloître gothique en est le joyau, lieu émouvant de sérénité. Ses galeries voûtées d'ogives sont ouvertes par des arcades qui s'appuient sur de fines colonnettes géminées, en marbre blanc veiné. Les chapiteaux sont sculptés d'un décor végétal. Les jeux d'ombre et de lumière sur le parterre de fleurs autour du puits central accentuent la spiritualité du lieu. L'église abbatiale, élevée au XIIᵉ siècle, est une merveille de proportions et d'harmonie. La salle des Morts avec son calvaire en pierre du XVᵉ siècle semble hors du temps. On retrouve la sobre élégance cistercienne dans la salle capitulaire portée par neuf voûtes romanes reposant sur des colonnes de marbre. Cellier, réfectoire et dortoir sont superbement voûtés. Les propriétaires actuels occupent les bâtiments au-dessus de la galerie nord du cloître, remaniés au XVIIᵉ siècle. Deux compositions d'Odilon Redon, qui y séjourna, décorent la bibliothèque. A huit kilomètres de Fontfroide, le château de Gaussan servait de métairie à l'abbaye. Ses bâtiments, des XIIᵉ, XIIIᵉ et XIVᵉ siècles, furent remaniés au siècle dernier dans le style néogothique. L'intérieur renferme des peintures murales de cette époque.

Le cloître de Fontfroide est une pure merveille du XIIIᵉ siècle. Les chapiteaux des fines colonnes jumelées sont ornés de superbes feuillages.

nfouie dans
vallon sauvage,
abbaye de Font-
oide est dotée de la
lus belle architec-
re cistercienne.
ensemble remonte
ux XIIᵉ et
IIᵉ siècles.

La cour Louis XIV de l'abbaye de Fontfroide, œuvre des abbés au XVIIᵉ siècle, est égayée de parterres fleuris et bordée par les bâtiments restaurés de l'abbaye. Des animations musicales font régulièrement revivre Fontfroide.

Prades : 45 km
Mont-Louis : 9 km

FONT-ROMEU
Pyrénées-Orientales

UNE STATION CLIMATIQUE RÉPUTÉE, AU
CŒUR DU PAYSAGE CERDAN.

Entre les sommets désertiques des montagnes, s'étend le bassin du Sègre. C'est la Cerdagne au relief uniforme. Font-Romeu, à 1 800 mètres d'altitude, dans un paysage splendide de forêts de pins et de lacs, est un centre d'excursions idéal pour découvrir la Cerdagne. Station climatique en été comme en hiver, la ville jouit d'un climat exceptionnellement ensoleillé. Font-Romeu est une création touristique qui date du début du siècle. Son installation sur un versant protégé des vents du nord en fait un centre de repos et de villégiature à l'air pur et sec bénéfique. Choisie comme centre de préparation des athlètes pour les jeux Olympiques de 1968, la ville a développé ses installations sportives. Avant cet essor, Font-Romeu ne vivait que par son ermitage. Depuis des siècles, on y vénère une Vierge noire, enfouie lors des invasions arabes, selon la légende, et miraculeusement retrouvée par un taureau, au XIᵉ siècle. En septembre, la Vierge est portée à l'église d'Odeillo, où elle reste jusqu'à la Trinité. C'est l'occasion de grandes fêtes. L'ermitage attire toujours de nombreux fidèles. Une chapelle des XVIIᵉ et XVIIIᵉ siècles, garnie d'ex-voto qui témoignent des miracles d'une fontaine miraculeuse encastrée dans un mur, abrite un beau retable en bois sculpté et peint, œuvre de Joseph Sunyer. Il raconte l'histoire de la découverte de la statue. Le décor typiquement espagnol d'une autre chapelle, le Camaril, a été réalisé par le même Sunyer. Au-dessus de l'ermitage se dresse un calvaire, avec une vue saisissante sur la Cerdagne et les montagnes. Odeillo, le bourg voisin, possède une église du XIᵉ siècle dont les vantaux du portail sont garnis de ferrures forgées. À l'entrée, la grille du sol empêchait les loups d'entrer. À Via, non loin, il ne reste qu'une partie des murs romans de l'église. Le cimetière possède des pierres funéraires datées des XVIᵉ et XVIIᵉ siècles et une croix forgée au XVIIIᵉ siècle, portant les instruments de la Passion.

Dans un paysage montagnard, l'ermitage de Font-Romeu est l'un des plus célèbres lieux de pèlerinage des Pyrénées. Font-Romeu signifie la « fontaine du pèlerin ». Selon la tradition, une source avait jailli là où fut découverte une statue de la Vierge, objet des dévotions, aujourd'hui exposée dans la chapelle. Celle-ci et les autres bâtiments entourent une grande cour. Ils datent des XVIIᵉ et XVIIIᵉ siècles.

Florac : 8 km

ISPAGNAC
Lozère

LE «JARDIN DE LA LOZÈRE», LOVÉ DANS
UNE BOUCLE DU TARN, EST RÉPUTÉ POUR
SON DOUX CLIMAT.

À l'entrée des gorges du Tarn, Ispagnac est un havre de paix abrité des
vents, au creux d'un vallon où fleurissent fruitiers et vignes. «Hispaniacum», la villa d'Hispanus, du nom d'un colon romain venu s'installer dans la vallée, se développa autour d'un monastère qui dépendait de l'abbaye Saint-Géraud d'Aurillac. L'église du XIIe siècle est encore accolée à l'ancien prieuré des Bénédictins, et a conservé des traces de fortification. Le portail roman, que surmonte une belle rosace, ouvre sur trois nefs voûtées en berceau. La croisée du transept est couverte d'une remarquable coupole octogonale à pendentif. Dans le village, on peut découvrir de vieilles maisons Renaissance et le portail de l'ancien château.

LAGRASSE
Aude

Carcassonne : 40 km

UNE ABBAYE CAROLINGIENNE TROP
MÉCONNUE, MAGNIFIQUE RÉSUMÉ DE HUIT
SIÈCLES D'ARCHITECTURE.

Les gorges sauvages et les collines arides de la vallée de l'Orbieu forment un admirable écrin à l'abbaye bénédictine de Lagrasse, qui connut une extraordinaire puissance au Moyen Âge. On l'atteint par un pont dont l'arche unique est hardiment jetée à travers l'Orbieu. Fondée au VIIIe siècle par un ami de saint Benoît d'Aniane, elle posséda très vite de nombreux prieurés et domaines qui s'étendaient jusqu'en Catalogne. Sous l'impulsion de l'abbé Auger, Lagrasse connut son âge d'or au Moyen Âge. D'innombrables seigneurs relevaient de l'abbaye, qui comptait alors près de cent moines. La communauté fut dispersée à la Révolution et l'abbaye vendue aux enchères. Elle abrite aujourd'hui la communauté de la Théophanie.

*Enserrée par les collines de la vallée de l'Orbieu, l'abbaye de Lagrasse est
un magnifique exemple de l'art carolingien. Fortifiée au XIVe siècle,
en partie reconstruite au XVIIIe siècle, elle subit
bien des transformations qui n'altérèrent jamais son unité de style.
Le clocher carré de l'église abbatiale domine l'ensemble de sa masse puissante.*

Son aspect imposant est dû aux fortifications du XIVᵉ siècle et aux reconstructions du XVIIIᵉ. Huit siècles d'architecture y apposèrent leur sceau, sans troubler son harmonie. La grande cour d'honneur précède les bâtiments du XVIIIᵉ siècle, élevés à une époque où les religieux avaient des revenus importants et où la simplicité monastique n'était plus de mise. L'appareil en grès ocre et les proportions extérieures ne manquent pas d'allure. De la même époque, le nouveau cloître avec ses arcades sans décor, assez austère, respecte le recueillement du lieu. L'église fut souvent remaniée au fil des siècles. De l'église du XIᵉ siècle, il reste quelques traces dans le transept sud avec une abside et deux absidioles en cul-de-four. L'église du XIVᵉ siècle, au chœur rectangulaire, est de toute beauté. Les retombées des voûtes sont sculptées de visages naïfs et caricaturaux. Élevé au XVIᵉ siècle, l'imposant clocher, haut de 40 mètres, est dû à la générosité d'un évêque de Mirepoix qui fit sculpter ses armes sur un côté. Il reflète toute la puissance de l'abbaye qui dominait la région. Le logis abbatial constitue la partie la plus ancienne. Le petit cloître à deux étages possède une charpente portée par des colonnes aux beaux chapiteaux romans. Une superbe salle voûtée, sans doute le réfectoire des moines, précède une cuisine avec une grande cheminée. Au

premier étage, le dortoir des moines à huit travées séparées par des arcades prenant appui sur le sol mène à la chapelle de l'Abbé, du XIIIᵉ siècle, qui possède encore un carrelage armorié et des peintures murales malheureusement bien effacées. L'abbaye communique par deux ponts avec le village fortifié. Ses vieilles maisons, ses ruelles pavées et ses halles du XIVᵉ siècle sont charmantes. L'église Saint-Michel, du XIVᵉ siècle, possède un intéressant mobilier, deux toiles de Gamelin et une émouvante Vierge à l'Enfant du XIIIᵉ siècle, d'une facture à la fois réaliste et naïve.

LANGOGNE
Lozère

Mende : 65 km

UNE PETITE VILLE NÉE AUTOUR D'UNE ABBAYE BÉNÉDICTINE, QUI PRÉSERVE DE NOMBREUX VESTIGES DE SON PASSÉ.

La naissance du bourg de Langogne date du XIᵉ siècle, quand Étienne, vicomte du Gévaudan, décida d'établir, dans cette haute vallée de l'Allier, une abbaye bénédictine. Un village naquit autour du monastère et se fortifia durant le Moyen Âge. Au

L'abbaye de Lagrasse fut dotée, au XVIIIᵉ siècle, d'un cloître à deux étages qui ne manque pas d'allure. Mais c'est ce petit cloître qui retient l'attention. Il date de l'époque la plus ancienne de l'abbaye. Au rez-de-chaussée, les piliers aux beaux chapiteaux romans portent la charpente. Le sol inégal, le premier étage très sobre, la simplicité architecturale donnent à ce cloître son cachet.

EN HAUT : *Un sourire plein de douceur, moins célèbre que celui de l'ange de Reims ! Cet ange au visage penché et aux ailes déployées appartient à l'église de Langogne.* CI-DESSUS : *Le portail flamboyant de l'église. Construit au XIIe siècle, couronné d'un arc en accolade, il est original avec ses deux pinacles aigus ouvragés et la grande arcade en anse de panier qui l'encadre. L'ensemble fut remanié aux XVe et XVIIIe siècles.*

XIVᵉ siècle, Langogne est une cité prospère grâce au travail du cuivre, du cuir et de la laine. Aujourd'hui, l'activité de Langogne repose principalement sur l'élevage et la polyculture. Elle est bâtie en cercle autour de l'église Saint-Gervais-et-Saint-Protais, qui n'a pas trop souffert du temps. On l'appelle « la perle romane du Gévaudan ». Construite dans un bel appareil de grès et de lave, elle possède une architecture harmonieuse d'influence à la fois bourguignonne et auvergnate. Son portail flamboyant orné de voussures est couronné d'un arc en anse de panier et de deux pinacles aigus. Joyau de l'église, les chapiteaux sculptés de l'intérieur présentent un décor d'une facture naïve et pleine de vie. Chimères, dragons, centaures et personnages illustrent des scènes bibliques et populaires. Dans la crypte, la statue en bois de Notre-Dame-de-Tout-Pouvoir, du XIᵉ siècle, surplombe un magnifique bénitier. Sur le boulevard circulaire s'élève une halle à grains couverte de lauzes, vieille de 200 ans, qui abrite toujours un marché. Encorbellement, fenêtres à meneaux, gargouilles ou blasons enjolivent les façades des maisons dont certaines ont été aménagées dans les tours des anciens remparts. La tour carrée de l'Horloge et le vieux pont sur l'Allier complètent un tour de ville agréable.

Le Caylar : 19 km
Clermont-l'Hérault : 20 km

LODÈVE
Hérault

CAPITALE DU PAYS LODÉVOIS, NICHÉE DANS UN BEAU VALLON VERDOYANT, L'ANCIENNE CITÉ ÉPISCOPALE A GARDÉ QUELQUES TRACES DE SON RICHE PASSÉ.

Au cœur d'un vallon où serpentent deux rivières, la ville de Lodève, la « Luteva » des Gaulois, fut de tout temps un lieu de passage mouvementé. À l'époque romaine, Néron y faisait frapper monnaie. Au Moyen Âge, Lodève est une cité épiscopale importante, comme en témoigne aujourd'hui la cathédrale Saint-Fulcran. Sa prospérité lui vient des nombreux élevages de moutons aux alentours qui favorisent l'industrie de la laine. Cette activité atteindra son apogée sous Louis XV, lorsque le cardinal de Fleury, né à Lodève, lui accorda le monopole de la fourniture de draps pour l'armée. La ville devient alors l'un des centres lainiers les plus importants de France. Depuis quelques années, l'exploitation de l'uranium redonne vie à la cité, un peu triste avec ses demeures de grès et de lave. Souvenirs de Lodève du XVIIIᵉ siècle, les vieilles usines de textile se reflètent encore dans l'eau des rivières. L'ancienne cathédrale, véritable forteresse avec son clocher-donjon et ses énormes contreforts, témoigne de la puissance des évêques aux XIIIᵉ et XIVᵉ siècles. Une première église carolingienne constitue la crypte actuelle. Le sanctuaire fut reconstruit au Xᵉ siècle par saint Fulcran, puis au XIVᵉ siècle. Restauré au XVIIIᵉ siècle dans son style d'origine, l'édifice comprend une façade couronnée de mâchicoulis et ornée d'une belle rose gothique. L'intérieur présente un long vaisseau voûté d'ogives aux lignes aériennes. Le chœur a conservé de remarquables boiseries du XVIIIᵉ siècle. Accolé au chœur, un cloître des XVᵉ et XVIIᵉ siècles a été aménagé en musée lapidaire. Installé dans l'hôtel où aurait habité le cardinal de Fleury, un musée abrite plusieurs collections illustrant la ville et sa région. Géologie, paléontologie et archéologie côtoient des documents sur l'histoire locale, des souvenirs du cardinal, des dessins et des gravures. Deux salles sont consacrées au statuaire languedocien Paul Darde, mort en 1963. La curiosité du musée est un ensemble de stèles discoïdales découvertes il y a quelques années dans un cimetière, et dont l'origine reste bien mystérieuse. Menhirs et dolmens parsèment les alentours de la ville, signes d'une présence humaine très ancienne dans la région. À 8 kilomètres de Lodève, l'ancien prieuré de Saint-Michel-de-Grandmont est un bel exemple architectural des XIIᵉ et XIIIᵉ siècles. Les lignes pures de l'église et du cloître expriment toute la rigueur de l'ordre de Grandmont, un mouvement de réforme bénédictine, contemporain de Cîteaux.

LOUPIAN
Hérault

Mèze : 3 km
Sète : 15 km

LE VIEUX BOURG AUX ODEURS DE THYM ET DE LAVANDE A CONSERVÉ SA BELLE ÉGLISE ROMANE D'INFLUENCE SARRASINE.

Sur la route de Bouzigues à Mèze, le petit village viticole de Loupian se dore au soleil du Midi, paisiblement assoupi entre l'étang de Thau et les garrigues parfumées. Son nom vient du Gallo-Romain Lupus qui s'y installa. Loupian ne compte pas moins de deux églises, un château médiéval qui abrite aujourd'hui la poste et la mairie, et les restes de ses anciens remparts. L'église Saint-Hippolyte, romane, domine le bourg. Fortifiée au XIVᵉ siècle et pourvue d'échauguettes pour être incorporée dans les murs du

On découvre, dans
portail de l'ég
Saint-Hippolyte,
Loupian, une influe
sarrasine. À proxim
de la voie Domitien
le bourg a co
maintes invasions
cours des siècles.
archivoltes de ce p
tail roman reposai
jadis sur des colonn
dont ne subsistent
les chapitea

château, elle est considérée comme un joyau de l'architecture languedocienne. Son superbe chevet à cinq pans est orné de larges arcs de décharge de tracé lombard qui encadrent les fenêtres d'une grande profondeur. D'influence sarrasine, le portail présente un arc polylobé fait d'étroits coussinets qui rappelle l'architecture des mosquées. L'intérieur, très lumineux, possède une voûte retombant sur des colonnes aux chapiteaux de style lombard. Chose curieuse, l'appareillage de l'abside en cul-de-four est disposé en chevrons et soutenu par une croisée d'ogives plus ornementale que nécessaire. Sur quelques chapiteaux, des sculptures assez frustes représentent des têtes de loup et de diable. L'église Sainte-Cécile, bâtie au XIVᵉ siècle, est plus austère et majestueuse. Ses épais contreforts, sa vaste nef unique et son abside polygonale constituent les caractéristiques de l'église gothique languedocienne. À la sortie du village, les vestiges d'une villa gallo-romaine furent découverts il y a quelques années. Les fouilles ont mis au jour de belles mosaïques multicolores des IVᵉ et Vᵉ siècles.

MAGUELONE
Hérault

Montpellier : 16 km

« CETTE ÎLE MÉLANCOLIQUE, ADMIRABLE PAR SES SOUVENIRS... CETTE MERVEILLEUSE SOLITUDE QUE LA MER ASSIÈGE DEPUIS TANT DE SIÈCLES » (CHARLES NODIER).

Vaisseau désormais solitaire dressé sur une île de l'étang de Mauguio, la vieille cathédrale romane de Maguelone n'a plus que la lagune et les pins comme compagnons. Son histoire remonte au VIᵉ siècle, quand le site de Maguelone était déjà le siège d'un évêché. Centre spirituel de la région jusqu'au VIIIᵉ siècle, ce n'est qu'au XIᵉ siècle que l'îlot voit surgir le premier sanctuaire, relié par un pont au bourg de Villeneuve-lès-Maguelone. Au XIIᵉ siècle, l'humble édifice est remplacé par la cathédrale actuelle, qui s'entoure de bâtiments capitulaires. Une enceinte la protège et de nombreux papes y trouvent refuge. À son apogée, Maguelone compte une centaine de chanoines. Mais, en 1536, le siège épiscopal est transféré à Montpellier. Démantelée en partie par Richelieu, pillée à la Révolution, l'île ne conservera que sa cathédrale, retrouvée presque en ruine au siècle dernier. Grâce à Prosper Mérimée et à un amoureux passionné, Frédéric Fabrèges, qui l'acheta en 1852, cette véritable forteresse aux murs énormes fut à peu près restaurée.

On reste confondu devant sa masse rude et austère et son toit plat que ne coiffe aucun clocher. La cathédrale fut découronnée de ses créneaux sous Louis XIII ; pourtant, elle garde son aspect fortifié avec ses contreforts et l'imposante tour Nord. L'admirable portail d'entrée présente un linteau taillé dans un milliaire romain en marbre, superbement ciselé d'un rinceau fin et souple. Il date de 1178 et surmonte deux plaques de marbre plus anciennes qui représentent Pierre et Paul, les saints patrons de la cathédrale. Ce sont sans doute des remplois du premier sanctuaire, car leur hiératisme évoque le style carolingien. Au-dessus du linteau, le tympan est orné d'un Christ bénissant entouré des symboles des évangélistes, un lion pour saint Marc, un aigle pour saint Jean, l'homme pour saint Matthieu et le bœuf pour saint Luc. L'intérieur est propice au recueillement. La nef unique à trois travées, dont deux sont couvertes par une vaste tribune pour les chanoines, est d'une belle proportion. L'abside voûtée en cul-de-four aux arcatures lombardes est ornée d'un fin bandeau à dents d'engrenage. Autels de marbre romans, sarcophages et dalles funéraires composent un décor qui met en valeur l'architecture puissante de la cathédrale.

Au XIVᵉ siècle, l'église Saint-Hippolyte de Loupian fut intégrée dans le système de défense de la cité. Son chevet fut alors surmonté de cette tour polygonale crénelée, qui domine les remparts. Il est orné de larges arcs de décharge qui encadrent de petites fenêtres très profondes. Cette architecture originale témoigne de l'importance accordée à la défense dans ce village qui ne connut enfin la paix qu'à partir du XVIIᵉ siècle.

...ORTVVIT SITIENTES [...] ENITE [...] AS INTRANDO FORES VESTROS COPONITE MO[...]ES IN...

Mende : 28 km

MARVEJOLS
Lozère

CETTE ANCIENNE VILLE FORTE, NICHÉE
DANS LA BELLE VALLÉE DE LA COLAGNE,
JOUA UN GRAND RÔLE DANS L'HISTOIRE DU
GÉVAUDAN.

Toute proche de l'Aubrac, à l'entrée des gorges du Tarn, Marvejols fut, au XIVe siècle, le siège d'un bailliage royal et s'unit à Du Guesclin contre les routiers des Grandes Compagnies. Place de sûreté protestante, elle fut très éprouvée au cours des guerres de Religion et détruite en 1586 par l'armée de la Ligue dirigée par le duc de Joyeuse. À son avènement, Henri IV, se souvenant que Marvejols avait pris son parti, fit restaurer les remparts et construire les portes fortifiées que l'on voit encore aujourd'hui. Bien située au cœur de vallées verdoyantes, la petite cité vit toujours de son commerce et de ses foires, réputée pour ses industries de filature et tissage de laine. Trois portes fortifiées commandent les entrées de la ville, munies d'imposantes tours à mâchicoulis. Sur la porte Soubeyran, une inscription rappelle la reconstruction de Marvejols par Henri IV. Sur la place du même nom, une statue du roi est l'œuvre du sculpteur Auriscote, qui réalisa également la Bête du Gévaudan ornant la place des Cordeliers. Cette sculpture évoque l'histoire devenue légendaire du loup qui terrorisa au XVIIIe siècle la région, en dévorant, selon la tradition, plus de 60 garçonnets et fillettes. De vieilles maisons aux toits sombres

bordent les ruelles étroites et quelques hôtels Renaissance subsistent, témoins de la richesse passée de la ville.

MAS-CABARDÈS
Aude

Carcassonne : 40 km
Mazamet : 24 km

UN VILLAGE TYPIQUE DE LA RÉGION DES
CATHARES, PROCHE DE LA REDOUTABLE
FORTERESSE DE CABARET.

Au nord de Carcassonne, la Montagne Noire étire ses gorges et ses vallons, ses forêts gorgés d'eaux vives. Le bourg de Mas-Cabardès est caractéristique de cette partie centrale de la montagne. Schistes bruns et ardoises, vieilles maisons bien conservées et croix de pierre, cerné de châtaigniers, le bourg est blotti au pied d'un château fort. Son église du XVIe siècle, au clocher octogonal à deux étages, a conservé son appareil défensif. De l'église primitive du XIVe siècle subsistent un fragment de bas-relief et un beau chapiteau. L'intérieur présente une Vierge à l'Enfant du XIVe siècle, un retable en bois doré du XVe et un autel du XVIIIe siècle. Près de la place principale, une croix de pierre du XVIe siècle est sculptée d'une navette, emblème des tisserands, témoin de l'activité textile de cette région à l'époque.
Au sud-ouest du bourg, dominant le village de Lastours, les crêtes d'un petit massif portent les ruines de quatre châteaux édifiés aux

Les quatre châteaux de Lastours s'éparpillent sur une crête rocheuse, dominant un paysage sauvage. À l'époque des cathares, isolés, mais appartenant au même seigneur, ils obligeaient l'ennemi à se fixer autour d'un immense périmètre.

XIIᵉ et XIIIᵉ siècles, qui appartenaient au seigneur Pierre-Roger de Cabaret, défenseur de la cause cathare. Ces châteaux constituaient la forteresse de Cabaret. À la veille de la croisade contre les cathares, une cour galante y siégeait, lieu de rencontre réputé des troubadours et des poètes. En 1209, le seigneur de Cabaret fut vainqueur de Simon de Montfort, qui dut capituler devant les fières murailles. Cabaret résista à toutes les attaques, accueillit les réfugiés cathares jusqu'au jour où l'ardent défenseur de la cause albigeoise fut obligé de traiter avec Simon de Montfort. Les tours de Cabaret devinrent forteresses royales, sans cesser pourtant, pendant un siècle encore, sous la protection occulte des fonctionnaires royaux, d'abriter le culte cathare dans le Cabardès.

MAS-SOUBEYRAN
Gard

Alès : 15 km

HAUT LIEU DU PROTESTANTISME FRANÇAIS, LE HAMEAU RASSEMBLE DANS SON MUSÉE DU DÉSERT LES SOUVENIRS DES CAMISARDS.

Blotties sur un plateau austère entouré de montagnes boisées, les maisons du Mas-Soubeyran symbolisent le lieu sacré du protestantisme. Rejetés par la révocation de l'édit de Nantes en 1685 et assaillis par les dragons de Louis XIV, les protestants durent se réfugier dans des lieux sauvages pour pratiquer leur culte. La bourgade du Mas-Soubeyran était habitée, au XVIIᵉ siècle, par une modeste famille de huguenots dont l'un, Roland, deviendra le chef de la révolte des camisards. En 1702, elle éclate à la suite de cruautés infligées par l'abbé du Chayla au Pont-de-Montvert. Les camisards (du languedocien *camiso*, la chemise) étaient d'humbles montagnards armés de leurs seuls outils, mais animés d'une foi ardente, pour lutter contre les troupes royales. Il fallut une impressionnante armée pour étouffer leur révolte en 1704. Le musée du Désert est installé dans la maison de Roland, qui fut transformée en musée en 1910, l'année du 350ᵉ anniversaire des Églises réformées cévenoles. Dans la demeure, le temps s'est arrêté il y a trois siècles. Les cheminées ont conservé leurs crochets et leur garde-feu, la chambre de Roland, son mobilier. On y voit la cachette où le chef camisard se réfugiait en cas d'alerte. De nombreux documents, ordonnances, cartes et livres retracent cette période sanglante, à partir des persécutions jusqu'à l'édit de tolérance de 1787. Attenante au musée, une salle présente une centaine de bibles superbement reliées. Un mémorial rappelle les martyrs de la révolte, triste rappel des atrocités sous le régime des « dragonnades ». La reconstitution d'un intérieur cévenol achève la visite. Chaque année, en septembre, de nombreux fidèles se réunissent au musée du Désert.

LES MATELLES
Hérault

Montpellier : 16 km

LA SURPRISE D'UN VILLAGE FORTIFIÉ AU CŒUR D'UN PAYSAGE DE VIGNES.

La sauvage vallée du Lez recèle un petit trésor, le charmant bourg fortifié des Matelles, niché près d'une rivière, le Lirou, dans un paysage verdoyant de vignes et de fruitiers. Le bourg fut un haut lieu du protestantisme et, au XVIIIᵉ siècle, il avait rang de ville et donc de représentation aux états du Languedoc. Les remparts du XIIIᵉ siècle avec des traces de l'enceinte du Xᵉ siècle enserrent la petite place forte aux ruelles pittoresques. Parfois couvertes d'arcades qui forment des passages voûtés reliant les hautes maisons entre elles, ces rues ont conservé leur charme du Moyen Âge. Escaliers en pierre, encadrements gothiques ou Renaissance des portes et fenêtres, tours de guet composent un ensemble ravissant que les habitants préservent avec soin.

Le délicieux village fortifié des Matelles se niche au cœur de la vallée du Lez. Il a conservé tout son charme d'autrefois, avec ses vieilles ruelles pittoresques. Les hautes maisons médiévales sont parfois reliées entre elles par des passages voûtés.

FOLIE LANGUEDOCIENNE SUR FOND DE PINS

Témoins de la prospérité d'une époque où Montpellier était capitale du Languedoc, d'élégantes « folies » du XVIIIᵉ siècle, construites pour les aristocrates et les grands bourgeois, se découvrent au détour d'un chemin creux : ces splendides résidences d'été sont aujourd'hui prisonnières du développement tentaculaire de la ville, cachées au cœur de la banlieue, mais encore entourées de parcs et de jardins où flotte un art de vivre ensoleillé très « Ancien Régime ». Une quarantaine furent construites dans un style plus sobre que les hôtels montpelliérains de la même époque : ainsi le château d'O cerné d'un vaste parc, l'extraordinaire Mosson bâtie pour un banquier, aujourd'hui tristement dévastée, le château de Flaugergues, évoquant une villa italienne, ou l'Engarran, qui a conservé sa grille de fer forgé. Le château de la Mogère (ci-dessus, à gauche) symbolise parfaitement ce goût d'harmonie, de confort et d'élégance. Dessiné par Jean Giral — l'un de ces trois frères architectes qui, avec d'Aviler, rivalisèrent de talent pour transformer Montpellier, l'embellir d'hôtels particuliers, de fontaines et de promenades —, il offre une harmonieuse façade à l'italienne surmontée d'un fronton, dont la simplicité familière invite à la flânerie. L'intérêt de cette demeure tient également à son décor intérieur. Outre les nombreux portraits de famille, les meubles et les peintures du XVIIIᵉ siècle qu'elle abrite, elle a conservé un grand salon orné de gypseries pleines de délicatesse. Mais, plus que les architectures parfois un peu

austères de ces demeures, ce sont en réalité leurs parcs et leurs jardins, avec terrasses, statues et fontaines, qui séduisent encore souvent les promeneurs amoureux de décors insolites. La surprise qui les attend dans le parc de la Mogère est une magnifique fontaine de style italien (ci-dessus, à droite). Décorée de coquillages et surmontée d'un groupe de chérubins tenant un cheval cabré, elle s'orne de médaillons et de masques (page ci-contre), de vases de fleurs (ci-dessous) et de motifs géométriques. C'est davantage la délicatesse, le goût et l'harmonie de l'ensemble qui séduisent, plutôt que l'exubérance baroque d'une mise en scène excessive. Les nuances des coquillages incrustés se marient joliment aux reflets mordorés de la pierre que chauffe le soleil. Avec d'autres matériaux et dans d'autres proportions, c'est le même esprit que l'on retrouve dans cette marqueterie de pierre ou de concrétions naturelles et dans les travaux d'ébénisterie, avec ce savant mélange de motifs néoclassiques et de paniers de fleurs, de guirlandes ou de rubans, où Chérubin règne en maître sur un décor fait pour la joie de vivre, l'ironie et le sens du théâtre. « Fantaisie signifiait autrefois l'imagination, et on ne se servait guère de ce mot que pour exprimer cette faculté de l'âme qui reçoit les objets sensibles », disait Voltaire, en ajoutant : « ... et c'est de là que vient le mot fantôme. » Les « folies » de Montpellier sont toujours « habitées » et, en cette fin de notre siècle, elles continuent de vivre, chargées des souvenirs du passé...

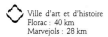

Ville d'art et d'histoire
Florac : 40 km
Marvejols : 28 km

MENDE
Lozère

CAPITALE DE L'ANCIEN GÉVAUDAN,
LA VILLE AU RICHE PASSÉ A CONSERVÉ
SON CHARME D'AUTREFOIS.

Dans la vallée du Lot, Mende resserre ses maisons au pied des pentes du causse, sous les rochers qui surplombent la ville de près de 250 mètres. Chef-lieu de la Lozère, le gros bourg rural est le point de départ de nombreuses excursions vers les gorges du Tarn, dans la Margeride et l'Aubrac. Son histoire est très ancienne, les dolmens que l'on trouve aux alentours de la ville en sont les témoins. À l'époque romaine, alors que les rives du Lot fleurissaient de belles villas, Mende n'était qu'une bourgade. Son développement date du IIIᵉ siècle, quand saint Privat vint s'y réfugier et y mourut martyr. Son tombeau édifié à l'emplacement de la cathédrale devint un lieu de pèlerinage très fréquenté. Mende étant devenu évêché, d'imposantes fortifications furent construites au XIIᵉ siècle, le pouvoir entre les évêques et les comtes du Gévaudan provoquant de sérieuses rivalités. L'activité de la cité, ceinturée de remparts, malgré les troubles de la guerre de Cent Ans et les épidémies, est florissante et les corporations prospèrent.

Aujourd'hui, le vieux Mende a su préserver son allure de bourg médiéval. Dominées par l'imposante cathédrale, les ruelles tortueuses aux noms pittoresques offrent une succession de façades pleines de charme. La tour des Pénitents, du XIIᵉ siècle, rappelle, avec ses

mâchicoulis, meurtrières et archères, qu'elle devait défendre la cité. La cathédrale, vaste construction gothique du XIVᵉ siècle, fut restaurée au XVIIᵉ siècle. La façade est flanquée de deux clochers dont le « clocher de l'évêque » qui possède des sculptures ajourées d'un pur style flamboyant. Un escalier à vis permet d'atteindre le sommet d'où le panorama est superbe sur les toits du vieux Mende et les monts environnants. Dans le chœur, de magnifiques stalles du XVIIᵉ siècle, en bois sculpté, représentent des scènes du Nouveau Testament et de la vie de saint Privat. Huit tapisseries d'Aubusson ornent les murs du chœur. La crypte centrale, l'une des plus anciennes de France, conserve le vaste tombeau de saint Privat ; les oculus du sarcophage permettaient aux fidèles de s'assurer de la présence réelle des reliques. Joyau de la cathédrale, la Vierge noire, du XIIᵉ siècle, aurait été rapportée de Palestine par les croisés. Autrefois, le grand clocher abritait la « Non-Pareille », l'une des « merveilles de la chrétienté », une cloche qui fut fondue lors des guerres de Religion. Il n'en reste que l'énorme battant, placé sous les orgues du XVIIᵉ siècle. Autour de la cathédrale s'alignent maisons en encorbellement coiffées de toits bombés, petits oratoires des XVᵉ et XVIᵉ siècles et fontaines charmantes. La synagogue est la plus ancienne maison de Mende, qui comportait au Moyen Âge une importante communauté juive. Sa porte du XIIIᵉ siècle ouvre sur une cour à deux étages de galeries. Au nº 7 de la rue d'Aigues-Passes, une Pietà du XVIᵉ siècle, en pierre polychrome, se détache de la façade. On l'appelle la « Vierge des Panets » ; le jour

Le « clocher de l'évêque » de la cathédrale offre une superbe vue sur la ville de Mende, baignée de lumière. Le clocher est pourvu de sculptures ajourées flamboyantes.

La Vierge noire de la cathédrale de Mende, sculptée dans du bois d'olivier, a perdu ses lames d'argent. Les bras qui portaient l'Enfant Jésus ont été coupés.

de l'Ascension, les fidèles venaient y déposer, en procession, des petits pains. La légende raconte que le célèbre bandit Mandrin aurait déposé un trésor dans la maison.

Flâner au gré des ruelles est le meilleur moyen pour découvrir d'autres portes, fenêtres à meneaux ou beaux escaliers en pierre. Installé dans un hôtel du XVIIᵉ siècle, le musée Ignon-Fabre rassemble des collections sur la préhistoire et l'archéologie de la Lozère, notamment un trésor de l'âge du bronze, trouvé à Carnac sur le causse Méjean, le produit des fouilles gallo-romaines de Javols et des poteries des ateliers de Banassac. Il ne faut pas oublier de se rendre à pied à la grotte de Saint-Privat, au pied du mont Mimat, où le saint trouva refuge. L'ermitage sur un versant du causse, domine la ville et la vallée du Lot.

MEYRUEIS
Lozère

Florac : 35 km

LE VILLAGE LE PLUS MÉRIDIONAL DE LA LOZÈRE, DONT LE NOM BIEN CHOISI SIGNIFIE : « LE MILIEU DES RUISSEAUX ».

Oasis de verdure située au confluent de la Brèze, du Béthuzon et de la Jonte, le bourg de Meyrueis est apprécié des voyageurs pour son artisanat et les superbes paysages environnants. Cette ancienne baronnie, qui souffrit des guerres de Religion, a conservé des vestiges de l'ancienne enceinte. La tour de l'Horloge est pittoresque avec sa petite cloche prisonnière du fer forgé. Des deux portes de la ville, les rues mènent au quai animé, ombragé de platanes. La maison Belon, aux belles fenêtres Renaissance, est l'une des vieilles demeures qui jalonnent le bourg. La chapelle Notre-Dame-du-Rocher, du XIXᵉ siècle, construite sur l'emplacement d'une forteresse, est accrochée au roc qui domine Meyrueis. À deux kilomètres au sud, le château de Roquedols mérite une visite. Agréablement située au fond de la vallée du Bétuzan, cette vaste demeure aux superbes tours ocre et rose date des XVᵉ et XVIᵉ siècles.

MINERVE
Hérault

Béziers : 44 km
Olonzac : 10 km

LA FABULEUSE CITÉ IMPRÉGNÉE D'HISTOIRE CONFOND SES PIERRES OCRE À LA ROCHE NUE DES GORGES DE LA CESSE ET DU BRIANT.

Cañons impressionnants, rochers escarpés aux profondes fissures, paysage aride, le causse au confluent de la Cesse et du Briant provoque un effet saisissant. Le sol de Minerve fut occupé dès la préhistoire. Les traces sont nombreuses. Outils gravés sur les parois rocheuses des grottes, empreintes sur l'argile du sol, dolmens et menhirs peuplent les falaises alentour. À l'époque romaine, un oppidum s'élevait vraisemblablement à l'emplacement du village actuel. Après les dévastations des invasions barbares, Minerve connaît son apogée au Xᵉ siècle, siège d'une juridiction royale, érigée ensuite en vicomté. Au Moyen Âge, une forteresse se dresse sur l'éperon rocheux qui fut le témoin d'un événement tragique de la croisade contre les albigeois. En 1210, un siège de sept semaines est conduit par Simon de Montfort devant la ville, qui, en partie

EN HAUT : *En flânant dans les rues de Mende, il n'est pas rare de découvrir des niches ou de beaux portails. Cette Vierge de la rue d'Aigues-Passes, du XVIᵉ siècle, est dite « des panets ». Le jour de l'Ascension, clergé et fidèles venaient en procession devant cette Pietà pour bénir des petits pains, ce qui lui a valu son nom.*
CI-DESSUS : *Un porche gothique de la même rue, orné de vantaux du XVIᵉ siècle.*

détruite, doit capituler. Le choix est simple :
abjurer ou mourir. Les quelque 150 cathares,
obstinés dans leur croyance, préféreront le
bûcher. De cet épisode sanglant, Minerve,
allongée sur sa crête rocheuse, a conservé un
pan de tour de son ancien château qui a résisté
au temps, comme les restes des remparts et
la porte des Templiers, du XIIIᵉ siècle. Les
ruelles où fleurit çà et là une végétation sauvage, bordées de vieilles maisons aux belles
tuiles anciennes, montent à l'église romane.
Récemment restaurée, elle renferme les plus
anciens vestiges d'église conservés en France.
L'un des autels est daté de l'an 456 par une
inscription de l'évêque Rustique, de Narbonne. On y relève des graffiti datés du Vᵉ
au IXᵉ siècle. Les restes du puits légendaire du
siège de 1210 sont encore visibles sur l'es-
carpement donnant sur le Briant. Relié aux
remparts par un chemin dont il ne reste que
deux pans de murs, il permit aux assiégés de
tenir sept semaines avant d'être détruit par
un boulet. Asséché, il fut la cause principale

de la reddition de Minerve. Le musée expose
le produit des fouilles du site préhistorique
local, notamment les traces de pas dans l'argile
de la grotte d'Aldène. Une salle est consacrée
à la paléontologie.

CI-DESSUS : *Avec ses murs dorés et ses cyprès, le bourg fortifié de Minerve a une allure tout*
italienne. La ville, tristement célèbre pour avoir connu le massacre de 150 cathares, conserve de très
vieilles maisons. On distingue, à gauche, un pan de mur, appelé « la Candela », vestige du château médiéval.
EN HAUT : *Les ruelles de ce haut lieu cathare portent encore l'empreinte du Moyen Âge.*
La tradition populaire leur rattache encore le souvenir des Parfaits qui y périrent.

Font-Romeu : 9 km
Prades : 39 km

MONT-LOUIS
Pyrénées-Orientales

UNE SUPERBE PLACE FORTE QUI N'EUT
JAMAIS À SERVIR.

Ancienne place forte construite en 1679 par Vauban sur l'ordre de Louis XIV, au croisement des vallées de la Têt, de l'Aude et du Sègre, Mont-Louis avait pour tâche de surveiller la nouvelle frontière du traité des Pyrénées. Celui-ci, signé vingt ans plus tôt, avait laissé le Roussillon à la France. La position de ce plateau resserré, longé par une rivière à 1 600 mètres d'altitude, où l'on trouvait facilement eau, sable et bois, était excellente. Une citadelle polygonale, un hôpital et une ville furent rapidement achevés, avec une église et des casernes. Un centre d'entraînement militaire y avait sa place. Mais Mont-Louis n'eut jamais à subir de siège et jusqu'à nos jours conserva intacts ses remparts. L'entrée par la porte de France, les bastions de la citadelle et les échauguettes sont aussi entiers qu'au moment de leur construction. À l'intérieur de la cité, divisée en huit rues étroites, l'église du XVIIIe siècle abrite un beau Christ en bois du XVIe siècle. La curiosité de Mont-Louis est son puits des Forçats, qui alimentait la citadelle et dont la grande roue en bois était actionnée par des forçats. Autre curiosité plus récente, un four solaire fut installé à Mont-Louis en 1953.

MONTPELLIER
Hérault

Nîmes : 42 km
Béziers : 58 km

BAIGNÉE PAR LA LUMIÈRE
MÉDITERRANÉENNE, LA CAPITALE DU BAS-
LANGUEDOC EST LE REFLET TRIOMPHANT
DE L'ART MÉDIÉVAL ET CLASSIQUE, D'UN
DYNAMISME SANS CESSE RENOUVELÉ AU
COURS DES SIÈCLES.

L'air pur de la mer, la lumière éclatante du ciel, les vieux quartiers pittoresques et les splendides monuments classiques : Montpellier a tous les atouts pour être une capitale régionale somptueuse. À la pointe de la garrigue, entre la mer et les Cévennes, la capitale du Bas-Languedoc est une ville jeune, vivante et ambitieuse qui ne renie pas ses origines. Seule ville du Languedoc qui ne date pas de l'époque romaine, Montpellier entre dans l'histoire au Xe siècle, créée par les importateurs d'épices qui s'installent sur une colline dominant la mer, au point de passage le plus étroit du couloir languedocien. Ce « mont des Épiciers », *Monspistillarius*, expliquerait le nom de la cité. La situation géographique est idéale, carrefour stratégique sur la route d'Espagne et d'Italie, desservi par le port de Lattes, alors réputé pour son commerce avec l'Orient. Ces marchands d'épices et herboristes sont à l'origine de la vocation universitaire de Montpellier, en initiant leurs élèves aux vertus thérapeutiques des plantes et en leur faisant lire Hippocrate.

Ces demeures de la place des Martyrs-de-la-Résistance, à Montpellier, furent bâties après les guerres de Religion qui détruisirent en partie la ville. Les nouvelles conceptions architecturales de la fin du XVIIe et du XVIIIe siècle avaient un petit air italien. Élevé dans un cadre urbanistique encore médiéval, ce type d'hôtels particuliers enrichit la ville d'un superbe patrimoine artistique.

Des écoles se créent et, dès 1220, la première université de médecine est fondée, à laquelle s'ajoute bientôt une faculté de droit et d'art. Une bulle du pape Nicolas IV la dote d'un statut, et en fait la plus ancienne université de médecine du monde. Rabelais vint y étudier au XVIᵉ siècle. Autour des églises Notre-Dame et Saint-Firmin se développe un marché où l'on vend des draps de laine, des plantes, de l'orfèvrerie et mille choses encore. Avec les pèlerins en route pour Saint-Jacques de Compostelle et les étrangers, Montpellier est très rapidement un grand centre de crédit et de change. Corsetée de remparts depuis 1204, la ville devient espagnole avec le mariage de Marie de Montpellier et de Pierre II d'Aragon. Elle fut de nouveau française au milieu du XIVᵉ siècle, vendue pour 120 000 écus d'or à Philippe de Valois. Au fil des siècles, Montpellier ne cesse de s'accroître. Au XVIᵉ siècle, puissante et cosmopolite, elle attire commerçants et intellectuels, très vite acquise à la Réforme, sans doute à cause des étudiants allemands qui viennent y étudier. Les guerres de Religion sont fatales aux églises et édifices médiévaux. Les affrontements violents entre protestants et catholiques la détruisent en partie et les armées de Louis XIII en vinrent à bout en 1622 après un siège de trois mois. Il fallut une trentaine d'années pour faire revivre Montpellier reconstruite sous le signe de l'Italie. La promenade du Peyrou, les hôtels particuliers et fontaines témoignent de ce classicisme français auquel s'allie la fantaisie italienne. Aujourd'hui, Montpellier est une capitale régionale incontestée. Ville universitaire, médicale et commerciale, haut lieu de viti-

culture, elle est réputée pour sa grande richesse monumentale. Le cœur du vieux Montpellier, entre la place de la Comédie et l'arc de triomphe du Peyrou, n'est qu'une profusion d'hôtels particuliers des XVIIᵉ et XVIIIᵉ siècles. Il faut pousser les portes des cours discrètes pour voir leurs façades aux escaliers à vis et frontons, souvent de toute beauté. Le souvenir de Jacques Cœur est présent à l'hôtel des Trésoriers de France, devenu au XVIIIᵉ siècle l'hôtel de Lunaret, qui rassemble aujourd'hui des collections archéologiques, de remarquables sculptures romanes et une très riche salle de céramique. La place de la Comédie, toute proche, est le cœur animé de la ville. Appelée aussi place de l'Œuf à cause de sa forme ovoïde, elle précède un théâtre, élevé en 1899 par Cassier Bernard, et orné de sculptures d'Injalbert et Bossau, et, au centre, la fontaine des Trois Grâces date du XIIIᵉ siècle. Plus calme, à l'ombre d'un ancien hôtel où joua Molière, le musée Fabre offre un remarquable ensemble de tableaux, dessins et estampes. C'est l'un des plus riches musées de province. Des œuvres flamandes et hollandaises voisinent avec les peintures italiennes dont un splendide Véronèse, le *Mariage mystique de sainte Catherine d'Alexandrie*, fierté du musée. La peinture française du début du XIXᵉ siècle est particulièrement bien représentée. De tout premier ordre également, un très riche cabinet de dessins se développe sur trois étages et rassemble des œuvres de

À GAUCHE : *Le château d'eau de la promenade du Peyrou, à Montpellier. Sa construction fut l'occasion d'un concours que remporta Jean-Antoine Giral, qui devait le mieux illustrer l'architecture montpelliéraine du XVIIIᵉ siècle.*
CI-DESSUS : *La fontaine des Trois Grâces, œuvre d'Étienne Antoine.*

Raphaël, Poussin, Fragonard, Delacroix, l'ensemble compte près de 4 800 pièces.

Entre le musée et la place de la Comédie, les jeunes Montpelliérains se réunissent sur l'esplanade, une promenade bordée de platanes. Au hasard des ruelles et des impasses, les amoureux d'architecture découvrent de magnifiques édifices. L'hôtel de Varennes, des XIVᵉ et XVIIIᵉ siècles, a conservé des salles gothiques voûtées d'ogives dont les chapiteaux et piliers romans sont des remplois de l'église Notre-Dame-des-Tables. L'hôtel abrite le musée du Vieux-Montpellier. Mobilier d'église, portraits de notables de la ville y côtoient de nombreux objets, meubles et costumes d'époque évoquant la vie traditionnelle de la ville au XIXᵉ siècle. Dans la rue de l'Ancien-Courrier, les pavés à l'ancienne et le fer forgé contrastent avec les commerces de luxe. Les hôtels de Montcalm, de Castries, de Rodez-Bénavent rivalisent d'élégance.

L'étroite rue médiévale du Bras-de-Fer et la rue de l'Argenterie ont été rénovées. L'hôtel Saint-Côme, du XVIIIᵉ siècle, célèbre pour son amphithéâtre polygonal, est dû à un chirurgien de Louis XV qui voulait un amphithéâtre d'anatomie semblable à celui de Paris. D'autres hôtels encore expriment la richesse des opulents bourgeois du XVIIᵉ siècle qui créèrent la fameuse promenade du Peyrou, dessinée par Jean-Antoine Giral. Installée au point culminant de la ville, elle s'ouvre par un arc de triomphe à la gloire de Louis XIV et monte, en terrasses, jusqu'à un original château d'eau, élégant petit temple destiné à masquer un réservoir. C'est le parfait exemple de l'architecture classique monumentale des XVIIᵉ et XVIIIᵉ siècles. Orné de guirlandes et de lourdes colonnes, le château d'eau est relié aux eaux du Lez par un aqueduc à deux étages d'arcades. De la terrasse supérieure, où siège une statue équestre de Louis XIV, le panorama permet de distinguer au sud la mer, les étangs, au nord les Cévennes. André Gide célébra cette promenade, aimée des Montpelliérains.

Peu d'édifices religieux ont subsisté aux guerres de Religion. La cathédrale Saint-Pierre est la seule à n'avoir pas été complètement détruite. Élevée au XIVᵉ siècle, restaurée aux XVIIᵉ et XIXᵉ siècles, elle a gardé son aspect de forteresse, de plan typiquement méridional. Quatre clochers massifs dominent un porche monumental. Son vaste vaisseau et ses chapelles latérales illustrent toutes les tendances

EN HAUT : *L'hôtel des Trésoriers de France de Montpellier fut rénové à partir de 1676 par Pierre-Alexis de La Feuille, inspecteur des ouvrages royaux. On lui doit cet escalier monumental à cage ouverte.* CI-DESSUS : *L'hôtel de Montcalm s'ordonne autour de cette petite cour, ingénieuse dans sa conception. Pour s'adapter aux contraintes d'espace de la vieille ville, l'architecte a conçu une large voûte au-dessus du portail d'entrée qui augmente ainsi la surface de la cour. L'escalier à vis présente un original noyau creux.*

du gothique. L'escalier du parvis conduit à la faculté de médecine, qui occupe le monastère d'Urbain V. Il ne reste guère de traces des bâtiments d'origine, transformés au XVIe siècle par les évêques de Montpellier. Le musée Atger, installé dans la bibliothèque, doit son nom à un collectionneur montpelliérain qui rassembla, au siècle dernier, un ensemble unique de plus de 300 dessins français et étrangers, du XVIe au XIXe siècle. On peut admirer 21 Tiepolo, l'une des plus importantes séries conservées en France, Carrache, Puget, Fragonard avec de remarquables portraits, et bien d'autres, ainsi que des artistes régionaux. Le jardin des Plantes, tout proche, créé au XVIe siècle par Henri IV, est le plus ancien jardin botanique français. À l'origine, il permettait l'étude des plantes médicinales. Ponctué par les bustes des naturalistes de l'école de Montpellier, le jardin présente des milliers

CI-DESSUS : **L**'amphithéâtre anatomique Saint-Côme est l'un des plus beaux monuments classiques de Montpellier.
Imité de celui de Paris, il abrite aujourd'hui la chambre de commerce de la ville.
L'ancienne salle d'assemblée des chirurgiens repose sur ces colonnes jumelées formant
un portique ouvert. De là, on découvre l'entrée de l'amphithéâtre.
EN HAUT : Le grand portail de l'hôtel de Mirman avec son agrafe à mufle de lion.

d'espèces différentes. Témoin de la richesse de la ville au Moyen Âge, l'église Notre-Dame-des-Tables doit son nom aux tables qu'y installaient les changeurs d'or à cette époque, autour du sanctuaire. Épargnée par les guerres de Religion, sa crypte rassemble des documents sur l'histoire de la cité. Sur la petite place Saint-Ravy, ornée d'une fontaine

à vasque, la façade à baies gothiques est celle de l'ancien palais des rois de Majorque, du XIIIe siècle, dont les belles salles voûtées furent décorées aux XVIIe et XVIIIe siècles.

LES FAÏENCES DE MONTPELLIER

Les faïences de Montpellier furent réputées dès la Renaissance. Il fallait une multitude de pots à pharmacie et de vases pour la célèbre école de médecine et les hôpitaux de la région. Les ateliers de céramique étaient donc nombreux à Montpellier, fournissant vases à sirops, à onguents ou à teintures ornés d'un décor splendide. Inspirée d'abord du style italien, la production du XVIIe siècle tenta peu à peu de se franciser. Le fameux faïencier Pierre Estève utilisait des dessins de Jean Bouchet. Après l'influence italienne, celle de Nevers prit la relève avec ses décors orientaux qui connaissaient un grand succès. Ce n'est qu'à la fin du XVIIe siècle que Montpellier acquit une production origi-

nale. La surface d'émail blanc importante, un décor réduit, des fleurs champêtres et des feuillages au tracé spontané et robuste contrastaient avec les mignardises développées au XVIIIe siècle. Les assiettes, plats, soupières ou pots reprirent ce décor floral plein de fraîcheur, typique de la faïence de Montpellier. Sur fond jaune ou blanc se détachent les teintures mauves ou roses des tulipes, pensées ou marguerites. Au XVIIIe siècle, de nombreux artisans, dont Jean-Baptiste Clérissy, neveu du faïencier de Moustier, s'installent dans la cité. La tradition vigoureuse et simple de ses faïences séduira le Midi et le Sud-Ouest. Le musée Fabre conserve une importante collection de faïences du XVIIIe siècle.

EN HAUT : *Détail de personnages d'une tapisserie du château de Flaugergues. Elle fait partie de la belle suite de tapisseries flamandes du XVIIe siècle qui a pour thème l'histoire de Moïse.* CI-DESSOUS : *Le château, formé d'un corps central et de deux pavillons, au coucher du soleil. Bâti vers la fin du XVIIe siècle, c'est l'une des plus anciennes demeures qui entourent Montpellier. Le parterre, devant la terrasse, vient d'être recréé.*

Ville d'art et d'histoire
Carcassonne : 59 km
Béziers : 23 km

NARBONNE
Aude

CAPITALE DE LA GAULE NARBONNAISE, CITÉ
ÉPISCOPALE, FIEF DES COMTES DE
TOULOUSE, LA VILLE MÉDITERRANÉENNE N'A
JAMAIS CESSÉ D'OFFRIR UN VISAGE JOYEUX
ET ANIMÉ.

Narbonne, au cœur de riches vignobles, à quelques kilomètres des plages et des étangs, a l'apparence des plus sereines des villes de la Méditerranée. Son histoire mouvementée de capitale antique, puis de cité archiépiscopale prospère au Moyen Âge, a laissé les nombreux monuments venus jusqu'à nous. Dès les temps les plus reculés, le site de Narbonne est occupé par les hommes et on y a retrouvé des monnaies frappées à l'effigie d'Hercule, le héros qui, selon la légende, créa la ville. Mais Narbonne l'antique ne devient capitale d'une grande province appelée la Narbonnaise qu'en l'an 118 av. J.-C., lorsque la puissante Rome envoie une colonie s'installer sur le site, carrefour de voies importantes vers l'Espagne. La Colonia Narbo Martius était née et la ville accepte sans heurt la domination romaine. Pline écrit qu'« en un mot elle n'était pas une province, mais l'Italie ». Devenue un port flo-

rissant, Narbonne exporte vins, miels et huiles. En retour, marbres et poteries lui permettent de s'enrichir de somptueux monuments, temples, thermes, capitole et arènes. C'est la ville la plus peuplée de la Gaule. Son port, en relation avec l'Espagne, se situait sans doute sur les étangs proches. Les gros navires y déchargeaient leurs marchandises que des petits bateaux transportaient par un bras de l'Aude jusqu'à la ville. Narbonne sera romaine jusqu'en 413 de notre ère, très prospère alors que Rome commençait déjà à décliner.

De toutes ces splendeurs, les invasions barbares ne laissèrent que des ruines. Vandales, Wisigoths et Sarrasins s'en emparent et la perdent tour à tour, achevant les destructions. Il faut attendre le Moyen Âge pour que se relève la ville, qui devient cité archiépiscopale. Jusqu'au XIVe siècle, elle reste une cité maritime qui vit de son commerce avec les ports de la Méditerranée. L'ensablement de la baie et la guerre de Cent Ans firent de nouveau décliner Narbonne, qui ne retrouva son animation qu'au siècle dernier avec le travail de la vigne.

Narbonne ne conserve pratiquement plus de traces de son épopée romaine, à l'exception de l'Horreum (entrepôt) et des vestiges de l'ancien forum. Les derniers monuments romains furent détruits par François Ier, qui voulut

La basilique Saint-Paul-Serge, à Narbonne, remonte aux premiers temps du christianisme.
Le sanctuaire est une ancienne collégiale bâtie sur le tombeau du premier évêque de Narbonne,
au bord de la voie Domitienne, agrandie et reconstruite au cours des siècles.
Élevée sur des bases romanes, l'église que l'on voit aujourd'hui est un bel exemple
de l'architecture gothique du Midi. Ici, l'imposant chevet aux lignes sobres.

remettre en état les remparts. Les pierres antiques récupérées y furent placées à cette époque. Pour avoir une idée de la cité romaine, il faut aller dans les différents musées, exceptionnels de richesses. Le Musée archéologique, installé dans la partie ancienne du palais des Archevêques, rassemble des salles consacrées au paléolithique avec le produit des fouilles des oppida de la région, et spécialement l'oppidum de Montlaurès, le site primitif de la cité préromaine. Fierté du musée avec une statue de Silène ivre, le sarcophage des amours vendangeurs est un chef-d'œuvre du IIIᵉ siècle. Des objets religieux et une salle romane complètent le musée. Dans l'ancienne église désaffectée Notre-Dame-de-la-Mourguié, un musée lapidaire expose de nombreuses pièces provenant de monuments romains, de stèles funéraires, d'autels ou de

sarcophages, près de 1 500 inscriptions antiques. La basilique Saint-Paul-Serge cache également des trésors dans sa crypte paléochrétienne, reste d'une importante nécropole du IVᵉ siècle. Mise au jour en 1946, cette *cella memoriae* comprend des sarcophages et une salle de banquets funéraires. Six sarcophages du IIIᵉ au Vᵉ siècle y sont conservés. Le sol est orné de mosaïques des IIᵉ et IIIᵉ siècles. La découverte de la Narbonne romaine passe également par le musée de l'Horreum, un entrepôt public situé près du forum, recueillant les marchandises. Fragments de sculptures, reliefs funéraires ou plaquettes de marbre évoquent la civilisation antique.

Si Narbonne n'a plus de monuments romains, en échange, quelles richesses nous a laissées le Moyen Âge ! La cathédrale et le palais des Archevêques forment un ensemble grandiose au cœur de la ville. Église et chapelles, murs fortifiés, tours et palais s'embriquent les uns dans les autres, résumé de dix siècles d'architecture. Du centre de la place de l'Hôtel-de-Ville, la vue est superbe sur le palais, le donjon Gilles-Aycelin, l'hôtel de ville et les arcs-boutants élancés du chevet rayonnant de la cathédrale. Le donjon est une belle réalisation de l'architecture militaire du XIIIᵉ siècle, avec ses épais murs en bossage et ses échauguettes. Bâti sur les restes de l'enceinte galloromaine, il défendait le palais épiscopal, défiant la puissance des vicomtes. Une salle voûtée présente quelques éléments de sculpture médiévale. Du sommet, un vaste panorama embrasse la ville, la mer et les montagnes. À sa droite, la tour Saint-Martial, du XIVᵉ siècle, encadre, avec la tour de la Madeleine, l'entrée de l'hôtel de ville. Construit par Viollet-le-Duc en 1846, ce dernier possède une étrange façade de style gothique qui n'est pas

LE SARCOPHAGE DES AMOURS VENDANGEURS

En 1821 fut découvert, dans la ferme de Claire-Vidale, près de Narbonne, un sarcophage exceptionnel qu'on appela le sarcophage des amours vendangeurs. Daté du début du IIIᵉ siècle de notre ère, il possédait des dimensions bien courtes pour un sarcophage classique. On découvrit alors qu'il avait été raccourci à l'époque chrétienne pour en faire la sépulture d'un enfant. À cause de cette mutilation, il n'est donc décoré que sur sa partie antérieure, admirable témoin de ce qu'il devait être dans sa dimension d'origine. Exécutées dans le marbre blanc, les sculptures représentent des amours nus et des faunes vendangeurs. La scène est extraordinaire de vie et de gaieté. Pendant qu'un faune

aux cheveux bouclés foule allégrement le raisin, un autre qui porte le pardalis, vêtement de type grec, joue de la double flûte. Au centre, un amour perché sur un arbre, ou plutôt un cep de vigne, attrape une grappe de raisin. Son attitude déhanchée, ses jambes bien stabilisées sont étonnantes de réalisme. À ses pieds, un autre amour ramasse une corbeille finement ciselée, qui déborde de raisins. Malheureusement, le temps n'a pas épargné le relief, les visages sont un peu effacés et il manque quelques bras et jambes. Sur la partie droite du sarcophage ne subsiste qu'un griffon aux ailes déployées.
Le sarcophage fut acheté par le musée de Narbonne au milieu du XIXᵉ siècle.

Le Musée archéologique de Narbonne, installé dans le palais des Archevêques, présente de nombreuses œuvres antiques, exhumées lors de fouilles. Ce petit faune en haut relief fait partie d'un sarcophage décoré d'amours nus et de faunes vendangeurs, pièce maîtresse du musée. L'œuvre, en marbre d'Italie, remonte au IIIᵉ siècle. Un compartiment, à l'intérieur, montre que le sarcophage tronqué fut réemployé pour un enfant.

EN HAUT : *Ces visages antiques appartiennent à l'une des nombreuses stèles funéraires du Musée archéologique de Narbonne. Napoléon III fit démanteler ces pierres découpées en cubes de 1,20 mètre de côté, qui avaient servi à édifier les remparts, et les plus intéressantes furent déposées dans le musée lapidaire.* CI-DESSUS : *L'une des mosaïques romaines reconstituées dans les pièces du palais des Archevêques. Ici, dans une salle du musée d'Art et d'Histoire.*

d'un goût des plus heureux. Le passage de l'Ancre, dont l'entrée est soulignée par une vieille ancre de marine, sépare les deux parties du palais des Archevêques, le palais Vieux et le palais Neuf, ornés des belles cours intérieures, de salles et de galeries somptueuses. À droite, le palais Vieux fut construit au XIIe siècle sur un emplacement très ancien. Des fouilles révélèrent l'existence d'une basilique d'époque constantinienne, d'un sanctuaire du Ve siècle et d'une cathédrale carolingienne. Restauré il y a quelques années, le palais a retrouvé son aspect d'origine. Deux étages ajourés de baies à arcatures géminées et flanqués de tourelles composent l'aile est. L'aile sud garde les traces de nombreux remaniements, avec des ouvertures romanes et Renaissance. De la cour de la Madeleine, on peut admirer le donjon Saint-Théodart au clocher carolingien, une tourelle d'escalier et l'abside de la chapelle de l'Annonciade.

Le palais Neuf, dû au cardinal de La Jugie, qui rêvait de posséder à Narbonne un palais comparable à ceux d'Avignon, date du XIVe siècle. Un musée d'Art et d'Histoire est installé dans les fastueux appartements des archevêques avec leurs plafonds à caissons et leur pavement en mosaïque romain. La salle des Gardes est garnie des portraits d'évêques et de consuls, et de ravissants pots à pharmacies, miniatures, émaux et faïences sont exposés dans la grande galerie. Les œuvres italiennes et flamandes, dont des toiles de Bruegel dit d'Enfer, de Bruegel de Velours et de Jordaens, constituent un ensemble très intéressant. Dans le Grand Salon, orné de tapisseries de Beauvais, le *Sacre du roi David* de Véronèse, le *Saint André* de Ribera et l'*Adoration des bergers* de Philippe de Champaigne comptent parmi les chefs-d'œuvre du musée. Une exceptionnelle collection de faïences françaises du XVIIIe siècle, le décor de stucs de la salle à manger ou encore la mosaïque romaine d'une chambre à coucher sont autant de trésors à découvrir. La salle des Synodes rassemble de superbes tapisseries d'Aubusson. C'est là que se tinrent plusieurs sessions des états généraux du Languedoc. Un cloître relie l'archevêché au flanc sud de la cathédrale. Bâti aux XIVe et XVe siècles, il est assez austère, avec

CI-CONTRE : *L'escalier du palais des Archevêques, à Narbonne, est une œuvre du XVIIe siècle. Il mène à la salle du Trésor.*
CI-DESSUS : *Cette sculpture de facture médiévale, peut-être wisigothique, a été réemployée dans l'ancienne cuisine des archevêques.*

ses hautes voûtes gothiques reposant sur des contreforts ornés de gargouilles. Du cloître, on découvre le côté sud de la cathédrale Saint-Just, qui serait l'une des plus grandes cathédrales d'Occident si les consuls n'avaient pas interdit la démolition d'un rempart. En effet, à l'aube de la guerre de Cent Ans, un long procès débuta entre le chapitre et le corps consulaire au sujet d'un rempart qu'il fallait détruire pour poursuivre la construction du sanctuaire et qui arrêta efficacement les Anglais en 1355. Le chœur de Saint-Just fut donc seul élevé, selon les règles d'une architecture gothique originale et grandiose. Le maître d'œuvre connaissait parfaitement les édifices du nord de la France dont on retrouve le style dans le chœur. L'aspect fortifié de l'extérieur, avec des contreforts qui s'achèvent en tourelles, un chemin de ronde crénelé et les deux imposantes tours qui épaulent la façade, est symbole de puissance plus que moyen de défense. Dès l'entrée dans la cathédrale, la vue est impressionnante sur l'élan vertical des voûtes, qui s'élèvent à plus de 40 mètres de hauteur. Les lignes pures, les proportions harmonieuses témoignent de la virtuosité du maître d'œuvre. Stendhal en fut émerveillé, « église sublime, église magnifique si elle était finie. Élévation prodigieuse de la voûte... Admirable simplicité et élégance des piliers... » Véritable musée, la cathédrale regorge d'œuvres d'art. Plusieurs tombeaux clôturent le chœur. Une très belle statue de la Vierge en albâtre, du XVe siècle, sereine et majestueuse, domine les restes d'un curieux bas-relief du XIVe siècle, évoquant l'enfer. Le style théâtral, d'un cruel réalisme, devait faire réfléchir les fidèles sur l'horreur de la damnation.

Les lignes inachevées de la cathédrale Saint-Just de Narbonne. Arcades, pinacles et balustres forment un ensemble pittoresque.

Détail du tombeau de Pierre de La Jugie, exécuté à la mort du cardinal, en 1375. Les niches qui abritent ces personnages en deuil sont aussi richement décorées que les colonnes qui les entourent. Les différentes tombes des évêques, sur le pourtour du chœur de la cathédrale, furent remaniées au cours des siècles. La Révolution détruisit bon nombre de sculptures.

L'élan vertical de voûtes de la cathédrale Saint-Just es impressionnant. Elle s'élèvent à plus d 40 mètres. L'orgu fut construit pa Moucherel, en 1748

L'orgue possède de magnifiques boiseries sculptées. La chapelle de l'Annonciade, gracieux édifice du XVᵉ siècle, abrite un tableau de Nicolas Tournier. La salle du Trésor, ornée d'une voûte de brique, rassemble des ostensoirs précieux, des ivoires des Xᵉ et XIIᵉ siècles, plusieurs manuscrits et enluminures et bien d'autres objets religieux de toute beauté. Sa pièce la plus admirable reste la tapisserie de la Création, réalisée au XVIᵉ siècle, dans les ateliers de Bruxelles.

Narbonne recèle d'autres monuments à découvrir. Dans le quartier de la Cité, la maison Vignerone est une ancienne poudrière du XVIIᵉ siècle. Dans le quartier du Bourg, la basilique Saint-Paul-Serge offre une succession de styles, du roman au XVᵉ siècle. Son chœur est d'une élévation remarquable. La maison des Trois-Nourrices, du XVIᵉ siècle, serait, selon la tradition, le lieu où fut arrêté Cinq-Mars après l'échec de sa conspiration contre Richelieu. Son nom vient des plantureuses cariatides aux formes rebondies qui portent le linteau d'une fenêtre Renaissance. Les ruelles étroites ménagent encore bien des surprises avec leurs porches, leurs tourelles et leurs gracieux escaliers. Touristes et Narbonnais flânent le long des berges de la Robine, près du pont des Marchands. Passé et présent se rejoignent place Bistan, lieu de l'ancien forum, où des fresques modernes illustrent la construction du forum du IIᵉ siècle, devant les vestiges de pilastres et les fragments de chapiteaux antiques.

...armi les pièces maîtresses du trésor de la cathédrale Saint-Just figure cette fameuse tapisserie des Flandres. Elle représente, entre autres motifs, Adam et Ève chassés du Paradis. L'œuvre, du début du XVIᵉ siècle, est un don de François Fouquet, frère du surintendant, à la cathédrale.

À travers les maisons aux toits roses, vue sur une partie du chevet de la cathédrale Saint-Just de Narbonne. Le quartier autour du sanctuaire a conservé l'intégralité de ses rues étroites et tortueuses. L'ambiance méditerranéenne de la ville y est sensible.

C'est une plaque en ivoire très finement sculptée qui constitue l'un des trésors de Saint-Just de Narbonne. Avec comme thème traditionnel la Passion du Christ, elle date de la fin du Xᵉ ou du début du XIᵉ siècle et servait de plat de livre, résumé pathétique en une dizaine de scènes délicatement ciselées de l'un des grands mystères de la foi. Attaché à la croix par quatre clous qui font jaillir le sang en abondance (page ci-contre), le Christ occupe le centre de la composition. Nimbé d'une auréole, il appartient déjà à l'au-delà, tandis que le Soleil et la Lune personnifiés (ci-dessous, en bas) surplombent la croix limitée par un perlé. Préfiguration des événements qui font suite à la Passion, l'Ascension fait pendant à la Pentecôte, où, de la main divine, jaillissent des rayons (ci-dessous, en bas). Sacrifice, rédemption et lumière de Dieu. Mais aussi, narration détaillée de la Mise à mort, dans un tableau à la fois très animé et empreint de gravité. Longin, d'un côté, porte le coup de lance devant Marie et les Saintes Femmes. De l'autre, Stefaton présente l'éponge au bout d'une perche, en présence de saint Jean et de deux Apôtres.

Retour au passé avec, à gauche, la Cène et l'arrestation au jardin des Oliviers. Annonce future de la Résurrection, aussi, avec les Saintes Femmes au tombeau (ci-dessous, à droite), et saint Thomas incrédule touchant du doigt la plaie divine. L'expression désolée des personnages, dans cet ensemble encadré de draperies et de feuillages, exprime un réalisme naïf où l'émotion affleure l'ivoire.

PASSION PATHÉTIQUE SUR IVOIRE

Ville d'art et d'histoire
Montpellier : 42 km
Arles : 28 km

NÎMES
Gard

2 000 ANS D'HISTOIRE ONT APPOSÉ LEUR TRACE SUR LA « ROME DES GAULES ».

La ville de Nîmes est née autour d'une fontaine qui existait sans doute dès le néolithique, justifiant une présence humaine. Les Celtes établirent autour de cette source, dont le dieu bienfaisant s'appelait Nemausus, la première Nîmes. Point d'eau précieux dans cette région aride entre la mer et la montagne, la source abondante voit s'élever les habitations en bois des Volques, un peuple qui régnait déjà sur vingt-quatre oppida. Leur commerce et leur art ont à peine le temps de s'affirmer que la peuplade celte doit se ranger sous la protection des Romains pour résister aux invasions des Barbares du Nord. À la fin du IIᵉ siècle avant notre ère, la Provincia Romana est créée. Nîmes glisse doucement dans la romanisation. Carrefour stratégique sur la voie Domitienne, cité commerçante active, elle connaît un essor fulgurant à l'avènement de l'empereur Auguste. La naissance, en 19 av. J.-C., de la Colonia Nemausensis Augusta vaut à la cité des remparts et un plan de dégagement rigoureux. Nîmes se couvre d'édifices splendides. La source sacrée est complétée d'un nymphée et de temples pour les cérémonies religieuses. Sénat, curie, tribunaux, toutes les institutions sont mises en place, à l'image de Rome. Colons grecs et romains s'y installent. « Aucune ville de Gaule ne vit pareil mélange de races et d'hommes différents », raconte Camille Jullian. Nîmes se voulait semblable à Rome ; une colline est divisée en quatre pour arriver au chiffre sept. Thermes, forum et capitole, temples et basilique, l'empreinte romaine est partout présente. Mais les luttes reli-

gieuses, qui dureront du Vᵉ au VIIIᵉ siècle, vont détruire bon nombre de monuments. Les Wisigoths, qui admirent la civilisation romaine, au temps de leur occupation, laissent à la ville son organisation administrative. Les Sarrasins leur succèdent, jusqu'à ce qu'ils soient écrasés par Charles Martel. De l'Empire romain jusqu'à l'intégration au royaume franc, Nîmes connaît trois siècles de déchéance. Au XIᵉ siècle, une nouvelle cité jaillit, appartenant aux comtes de Toulouse. La ville se repeuple, les rues se regroupent en corporations, de nouveaux quartiers apparaissent. Les troubles de l'hérésie cathare ne remettront pas en cause cette évolution. Malgré leur attachement à la cause albigeoise, les Nîmois ne résistent pas à Simon de Montfort, qui fait entrer leur cité dans le territoire des rois de France. Ils se souviennent trop bien d'Avignon ravagée, qui se rendit après un siège de trois mois. Après pestes et tremblement de terre, Nîmes devient un grand centre textile. On y travaille la laine et la soie, le bois, le cuir et le verre. La période confuse des guerres de Religion voit la cité gagnée à la Réforme. Une « Saint-Barthélemy à l'envers », tristement célèbre, où les « réformés » massacrent en une nuit des consuls catholiques, marque la fin des luttes religieuses, si l'on excepte la guerre des camisards. Au XVIIIᵉ siècle, les remparts du Moyen Âge sont abattus. On redécouvre les monuments antiques. Le long des avenues se dressent de beaux hôtels particuliers. La population s'accroît régulièrement et, à la fin du siècle, Nîmes est l'une des plus grandes villes manufacturières de France. En plein essor commercial et industriel, elle connaîtra son apogée au XIXᵉ siècle.
La visite de Nîmes doit commencer par le jardin de la Fontaine, où jaillit toujours la source tutélaire qui vit naître la cité celte et qui fut le principal quartier d'agrément de la

Le monument mystérieux appelé temple de Diane, dans le jardin de la Fontaine. Il fait partie d'un ensemble antique aujourd'hui ruiné, seul élément conservé sans modification. On ne sait pas à quoi le bâtiment était destiné.

Nîmes impériale. Havre de paix et de beauté apprécié des Nîmois, le jardin est l'œuvre d'un architecte du XVIIIᵉ siècle qui voulait ressusciter sa splendeur du temps d'Auguste. Situé sur un versant du mont Cavalier, il a été reconstruit suivant les tracés de l'ancien décor romain, autour de la fameuse source de Nemausus. Ses eaux coulent paisiblement du creux d'un rocher, alimentant des bassins et un canal qui, au XVIIIᵉ siècle, les menait à la

Cette frise romane décore la façade de la cathédrale Notre-Dame-et-Saint-Castor, à Nîmes. Vestige de l'église primitive, elle est remarquable par le réalisme de ses personnages. Les différentes scènes évoquent l'Ancien Testament.

Les arènes de Nîmes sont réputées pour leur remarquable conservation. Le monument montre deux étages égaux dans lesquels s'ouvrent des arcades. La rareté de la décoration s'explique par le matériau employé : une pierre résistante provenant de carrières proches de la ville mais pouvant éclater avec le gel, impropre à la sculpture.

ville. L'ensemble du jardin est magnifiquement architecturé, alliant la rigueur classique au charme familier de la végétation foisonnante. Terrasses et portiques, ponts et balustrades, statues, escaliers composent un décor admirable, comparable aux jardins d'Italie. Des vestiges antiques subsistent : un bassin, l'escalier qui conduit à la source et une mystérieuse salle voûtée que l'on appelle le temple de Diane. Élevée sans doute à l'époque d'Hadrien, cette « salle » pourrait être aussi bien un édifice religieux qu'un établissement public ou la villa d'un riche Romain. Ce qu'il en reste n'est probablement qu'une partie d'un ensemble plus vaste. L'originalité de l'édifice tient dans sa magnifique décoration qui laisse imaginer un lieu somptueux. La voûte d'entrée ouvre sur une grande salle orientée vers une niche occupée jadis par une statue. Plafonds ornés de caissons, frontons triangulaires, fines sculptures sont d'une étrange beauté. Le temple de Diane servit de chapelle, du Xe au XVIe siècle, avant de devenir une grange. Dominant le jardin, la tour Magne est le monument le plus ancien de Nîmes. Elle date sans doute du Ier siècle av. J.-C., quand la ville était entourée d'une enceinte jalonnée de nombreuses tours. D'architecture polygonale, de 20 mètres de diamètre et de 30 de hauteur, elle serait un trophée élevé par Domitius sur l'emplacement d'un mausolée plus ancien. La tour, composée de trois étages, ne fut jamais détruite. Sous Henri IV, elle fut fouillée par un étrange personnage qui assurait qu'elle cachait un trésor du temps des Romains. L'énorme trou du chercheur faillit être fatal pour la tour, qui dut être restaurée au XIXe siècle. Un escalier mène au sommet, d'où le panorama est superbe sur la ville, les Alpilles et la garrigue. On saisit parfaitement l'ampleur de la Nîmes romaine. Des portes de l'enceinte bâtie vers l'an 15 av. J.-C. ne restent que les ruines de celle d'Auguste et de celle de France, qui marquait la sortie de la voie Domitienne vers l'Espagne. En redescendant la rue Mallarmé, on arrive au Castellum Divisiorum, ancien château d'eau romain qui complétait la source de Nemausus. Le grand maître des eaux Agrippa avait fait construire un énorme aqueduc, il n'en reste que les arches du pont du Gard, dont les canalisations aboutissaient au château d'eau. La citadelle qui le domine fut élevée par Vauban, par ordre de Louis XIV qui voulait un fort pour surveiller une ville réfractaire aux ordres de Versailles. Cette citadelle est aujourd'hui une prison.

Trônant au cœur de Nîmes, l'amphithéâtre est le monument qui représente le mieux les splendeurs de Nîmes la Romaine. Semblable à celui d'Arles, il date vraisemblablement du Ier siècle avant notre ère ; il est le vingtième par la taille parmi les 70 amphithéâtres de l'Antiquité, et il est certainement le mieux conservé. Seize mille personnes peuvent encore contenir dans ses 34 rangs de gradins. La façade de 21 mètres de haut est rythmée par 120 arcades en deux étages. L'ensemble, assez massif, est étonnamment fonctionnel : gradins inclinés pour faciliter l'écoulement des eaux, vespasiennes dans les couloirs, escaliers bien répartis pour canaliser les foules, vomitoires destinés à se mettre à l'abri en cas de pluie. L'amphithéâtre, nommé également « arènes », devint forteresse à la chute de l'Empire romain.

LE MUSÉE DU VIEUX NÎMES

L'ancien palais épiscopal, devenu le musée du Vieux Nîmes, est sans doute la plus belle architecture du XVIIe siècle de la ville et fut construit de 1685 à 1689 par Alexis de La Feuille de Mirville, l'architecte qui réalisa le superbe hôtel de ville de Beaucaire. Les restaurations achevées en 1985 permirent de découvrir son décor d'origine, notamment de remarquables fresques. L'entrée, de plan ovale, a retrouvé son décor primitif. La chambre d'été des évêques combine harmonieusement des éléments du décor du XVIIe siècle et des peintures murales de 1823. La salle à manger et le grand salon, de style XIXe siècle, l'escalier XVIIIe et sa superbe rampe en fer forgé sont de véritables trésors. Plusieurs vitrines où s'amassent des étains, des pipes et des accessoires de fumeurs des XVIIIe et XIXe siècles garnissent l'antichambre d'été, voûtée « à l'impériale et à lunettes ». Les armoires languedociennes du XVIIe siècle en noyer sont sculptées de sujets bibliques. Pourvue d'un mobilier Directoire et Empire, la chambre d'été présente, entre autres portraits, celui de Liszt par Vignaud, des vues de Nîmes et une vitrine renfermant d'amusants objets de la vie quotidienne du début du XIXe siècle. Dans l'antichambre d'hiver, une autre vitrine est consacrée à l'écriture aux XVIIe et XVIIIe siècles. La chambre d'hiver contient des collections de faïences et d'orfèvreries nîmoises. On découvre encore un très beau billard Charles X en palissandre, de Bernassau de Nîmes, qui compte parmi les dernières acquisitions du musée. Le grand salon est la plus belle pièce du palais, avec ses vitrines de verreries et de faïences, son mobilier du XVIIIe siècle et de nombreux portraits. Meubles du XVIIe siècle, Régence et Napoléon III, bronzes, gravures, sculptures, complètent encore le remarquable décor de ce musée, si riche qu'il occupera, dans quelques années, la totalité du palais épiscopal.

L'une des pièces romaines de la Maison carrée : une tête de Vénus en marbre de l'époque de la construction de l'édifice (bientôt transférée au Musée archéologique).

La Maison carrée de Nîmes. On remarque les colonnes corinthiennes engagées dans le mur plein de la cella, la frise de rinceaux d'acanthe qui court sur trois des faces du monument et les modillons de la corniche.

En 1100, il est confié à des chevaliers chargés de la défendre « jusqu'à la mort ». Il faut attendre le XIXᵉ siècle pour le dégager et le restaurer. Aujourd'hui, ces arènes se sont remises à vivre avec les nombreuses courses de taureaux qui attirent une foule immense. Copiée sur les modèles grecs, la Maison carrée est un autre témoin des fastes de la période impériale. Son nom lui vient d'une époque où tout volume à angles droits était nommé carré. L'édifice est surprenant de perfection, nullement ruiné. Sa beauté peut sembler rigide, mais il faut prendre le temps de saisir le parfait équilibre de l'architecture, les lignes pures, harmonieuses, amplifiées par le socle sur lequel la Maison carrée est dressée. Les sculptures des chapiteaux corinthiens de la frise et de la corniche sont admirables, comme le dynamisme des colonnes, séparées les unes des autres par deux fois leur diamètre. À sa construction, le temple était entouré d'un portique majestueux et faisait face à un autre temple identique. L'ensemble devait être de toute beauté. Il devint un temps la maison des consuls de Nîmes, appartint à un particulier, servit d'écurie, d'église..., miraculeusement préservé jusqu'à nous. La salle intérieure abrite aujourd'hui le musée des Antiques. On y voit des mosaïques, des fragments de sculpture, des statues, pièces typiques de l'art d'importation ou d'influence romaine à Nîmes et dans la région au début du Iᵉʳ siècle. Une statue d'Apollon, des fragments de la Frise des Aigles et le Cippe funéraire de M. Attius Paternus sont remarquables. Les collections seront bientôt transférées au Musée archéologique pour laisser place à une librairie d'art.

Le Musée archéologique, installé dans l'ancien collège des jésuites, présente des collections qui vont de l'âge du fer à la fin de l'époque romaine. Céramiques, stèles funéraires et statues côtoient d'intéressantes collections de monnaies.

La vieille ville se serre autour de la cathédrale Notre-Dame-et-Saint-Castor, bâtie au XIᵉ siècle et souvent remaniée au cours des siècles. Seule la frise de la façade surmontée d'un fronton à l'antique date de la période de sa construction. Le reste est du XVIIᵉ siècle. L'intérieur renferme les tombeaux du cardinal de Bernis et de l'évêque Fléchier. Sur le côté droit de l'édifice, l'ancien palais épiscopal est devenu le musée du Vieux Nîmes. Il est consacré à l'histoire de la ville et du Gard depuis le Moyen Âge. Les rues autour de la cathédrale recèlent des merveilles. Rue de l'Aspic, au n° 8, le porche est orné de sarcophages paléochrétiens. Au 14, derrière une façade discrète, on découvre un splendide escalier, à double révolution, du XVIIᵉ siècle. La rue Bernis possède un hôtel du même nom, le mieux conservé de la ville, dont la façade est du XVᵉ siècle. Des colonnes doriques encadrent la cour Renaissance ornée d'un puits. Dans la rue Fresque, l'hôtel Mazel montre la plus jolie cour de Nîmes avec ses portes doriques et son puits à deux colonnes. Tour à tour, place aux Herbes ou rue des Marchands, se détachent de belles façades romanes ou Renaissance.

Le musée des Beaux-Arts est intéressant pour ses peintures italiennes (superbe Jacopo Bassano, *Suzanne et les vieillards*) et françaises, des XVIIᵉ et XVIIIᵉ siècles, avec un brillant ensemble de portraits de Mignard, Rigaud, Larguillière.

Nîmes, c'est aussi la feria, qui fait revivre les arènes, chaque année, à la Pentecôte. Pendant trois jours, les courses de taureaux se succèdent dans toutes les variétés existantes en Languedoc, et ressuscitent les spectacles romains.

L'hôtel de Fontfroide, à Nîmes, cache derrière une façade discrète ce superbe escalier à quatre noyaux et balustrades de pierre. Il est ouvert sur la cour intérieure. L'ouvrage, daté de 1699, est un bon exemple de l'architecture nîmoise de l'époque. Après des guerres de Religion dévastatrices, les XVIIᵉ et XVIIIᵉ siècles furent des périodes de renaissance et d'expansion pendant lesquelles nombre d'hôtels virent le jour.

Narbonne : 63 km

PERPIGNAN
Pyrénées-Orientales

LA CATHÉDRALE SAINT-JEAN, LE PALAIS DES
ROIS DE MAJORQUE, LE CASTILLET, LA LOGE
DE MER... PERPIGNAN A LA SPLENDEUR
D'UNE CAPITALE.

Ancienne capitale des comtes de
Roussillon, puis des rois de
Majorque, Perpignan n'a pas une histoire très
ancienne, mais elle est riche de monuments
élevés à son apogée, lorsqu'elle devenait capitale du royaume de Majorque. Petit village
gallo-romain à l'écart de la voie Domitienne,
la villa Perpiniani subit toutes les invasions.
Son nom n'est cité qu'au Xᵉ siècle, lorsque les
comtes bénéficiaires du Roussillon s'y installent, tout en restant les vassaux du roi de
France. En 1172, la cité est léguée au roi d'Aragon puis à son fils, le roi de Majorque. Perpignan connaît alors son âge d'or. Une cour
petite mais fastueuse s'y rassemble, décrite
dans le manuscrit des *Lois Palatines*. Avec les
ports de la côte toute proche, le commerce
des étoffes, le travail du cuir et sa spécialité
de la teinture font sa fortune. La population
s'accroît rapidement, et une nouvelle enceinte
est construite pour englober les faubourgs. Les
Français récupèrent Perpignan sous Louis XI,
qui y établit un régime sévère. De nouveau
aux rois d'Aragon après une période de
conflits incessants, la cité redevient définitivement française sous Louis XIII. La perma-
nence du danger espagnol entraîne alors la
modernisation des remparts, œuvre de Vauban. Aujourd'hui, Perpignan est aussi animée

qu'une capitale et garde, de son passé fastueux, de nombreux monuments.
Le Castillet est l'emblème de la ville. Construit
en 1368 par Sanche, deuxième roi de
Majorque, cette ancienne porte de ville fut une
redoutable prison. Son architecture militaire
avec ses hauts murs de brique coiffés de créneaux et de mâchicoulis est extrêmement
spectaculaire. Il abrite aujourd'hui la Casa Pai-
ral, le musée catalan des arts et traditions
populaires. Mieux que toute littérature, coiffes
et costumes, meubles et objets divers racon-
tent la vie rurale et pastorale de la Catalogne
française. Autre témoin de la splendeur de

CI-CONTRE : *Le Castillet de Perpignan défendait, au XIVᵉ siècle,
l'entrée de la ville.* CI-DESSUS : *Détail du retable de l'Immaculée
Conception de la cathédrale, œuvre du sculpteur catalan
Lazare Tremullas le Jeune. En bois sculpté, peint et doré,
il est d'une superbe facture baroque.*

Perpignan, la cathédrale Saint-Jean, composée de plusieurs sanctuaires, date des XIVe et XVe siècles, bel exemple du gothique méridional. La façade très sobre est en appareil de briques et de galets de rivière. La nef sévère repose sur des contreforts où s'intercalent les chapelles latérales. Parmi un mobilier très riche, une cuve baptismale préromane en marbre, un buffet d'orgue flamboyant et les retables des XVIe et XVIIe siècles sont exceptionnels. Le retable de la quatrième chapelle, dédié à l'Immaculée Conception, est un parfait exemple du baroque catalan. Un passage sous l'orgue conduit à la chapelle Notre-Dame-dels-Correchs, du XIe siècle, le plus ancien sanctuaire de la ville, au portail de grès rouge. Un gisant du XVIIe siècle et de nombreuses reliques y sont conservés. L'église Saint-Jean-le-Vieux, à côté de la chapelle, possède un chœur et trois nefs du XIIIe siècle qui restent dans la tradition romane. À la sortie de la cathédrale, une chapelle hors œuvre du XVIe siècle est célèbre pour le Dévot Christ qu'elle renferme.

Joyau de l'architecture gothique catalane, fierté de Perpignan, le palais des rois de Majorque est un édifice médiéval des XIIe et XIVe siècles. Il fut construit quand la cité passa sous domination espagnole, pour Jacques le Conquérant, premier roi de l'éphémère royaume de Majorque, et Jacques II, son successeur. L'élégante cour d'honneur est bordée d'une double galerie ogivale. Son appareil en silex et galets de marbre est admirable. Au milieu de l'aile centrale s'élève une chapelle, formée de deux sanctuaires superposés ; la chapelle basse était destinée au personnel du palais, la chapelle haute, de toute beauté, aux souverains. Son portail en marbre rose orné de chapiteaux sculptés s'ouvre sur une nef gothique. Les deux sanctuaires conservent des traces de fresques. Au premier étage de l'aile sud, la grande salle du Trône, du XIVe siècle, à cinq travées, possède une cheminée à trois foyers. Dans les parties hautes du palais, la vue est belle sur la ville, la plaine et le Canigou. Juchée au-dessus des restes des remparts dominant le jardin de la Miranda, l'église Saint-Jacques, du XIVe siècle, recèle de belles œuvres d'art, dont les statues de saint Jacques, sainte Anne, un Christ en croix et un Christ au tombeau. Au-dessus de la cuve baptismale se déploie le grand retable des Tisserands. L'édifice se prolonge par la chapelle de la Sanch, siège d'une confrérie fondée au XVe siècle par saint Vincent Ferrier.

Perpignan est fier de son enfant Hyacinthe Rigaud, le peintre du XVIIe siècle, dont on se disputait les portraits à la cour de Louis XIV. Installé dans un bâtiment en brique du XVIIIe siècle, un musée expose plusieurs de ses œuvres, en particulier le somptueux *Portrait du cardinal de Bouillon*. On peut admirer également une remarquable collection de céramiques hispano-mauresques du XIIe au XVe siècle, des primitifs catalans, des peintres régionaux des XVIIIe et XIXe siècles, ainsi qu'une section d'art contemporain où se détachent des œuvres de Picasso, Alechinski, Tápies.

Le charme de Perpignan vient aussi de ses quartiers anciens, qui n'ont guère changé depuis le XVIIIe siècle. De ravissantes demeures bordent les ruelles pittoresques et les places ombragées. La maison Julia, avec sa façade

Élégance et sobriété caractérisent ce portail. Il ouvre sur la chapelle Sainte-Croix du palais de Majorque, à Perpignan. Ses chapiteaux finement sculptés, son marbre polychrome témoignent de l'ancien faste de la cour de Majorque.

Le palais de Majorque est conçu comme un vaste rectangle autour d'un patio central. Des tours carrées encadrent le bâtiment. Ce bel édifice médiéval est en cours de restauration.

Détail de la façade palais de Majorq dans sa partie la p ancienne. Les galets rivière en épis, s chaînage de briqu témoignent d'u maçonnerie loc traditionne

en cailloux roulés, s'enjolive d'une galerie gothique à deux étages. La maison de la Main de fer, proche de la cathédrale, du XVIᵉ siècle, présente sur sa façade une frise ornée de scènes licencieuses et macabres. Rue du Théâtre, l'hôtel de Ros est une gracieuse demeure Renaissance et l'hôtel Sinisterra cache une belle cour gothique. Les maisons à auvents de la rue des Marchands ont été parfaitement restaurées. Le vieux Perpignan a encore bien d'autres trésors à découvrir. Quand passe, depuis le XVᵉ siècle, la procession du Vendredi saint avec son défilé de cagoules rouges et noires, la ville est bien catalane. Sur la place de la Loge, remplie de cafés bruyants où, les soirs d'été, l'on danse joyeusement la sardane entre les tables, la Loge de Mer est une merveille d'architecture hispano-mauresque. Élevée en 1388 pour abriter la Bourse et le Consulat de mer, elle est une remarquable imitation des palais italiens avec ses fines arcades et son décor gothique. Elle fut agrandie au XVIᵉ siècle. Sur la place se trouvent également l'hôtel de ville, dont la cour s'est embellie d'une statue de Maillol en 1950, et du palais de la Députation, du XVᵉ siècle, bel exemple d'architecture catalane.

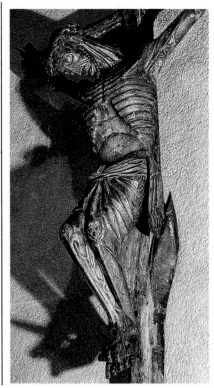

LE DÉVOT CHRIST

Très vénéré depuis le XVᵉ siècle, le Dévot Christ de Perpignan est une œuvre saisissante, en bois sculpté, datée vraisemblablement du XIVᵉ siècle. Longtemps abritée dans l'église Saint-Jean-le-Vieux, la statue a regagné une chapelle attenante à la cathédrale, spécialement construite pour la recevoir. Elle mesure 1,64 mètre de hauteur, en bois peint patiné par le temps. Le visage aux traits émaciés, le corps si desséché qu'on voit les muscles collés à la peau, les bras et les jambes d'une maigreur effrayante, tout dans ce Christ n'est qu'un cri de souffrance, une représentation dramatique de la douleur humaine. On voit encore, malgré la patine, le sang rouge de ses blessures qui coule sur les membres décharnés. Le sculpteur a réalisé une œuvre d'un pathétique extrême et on ne retrouve rien de comparable à ce Christ catalan dans l'art français. Une légende raconte que la tête s'incline peu à peu et que, lorsque le menton aura rejoint la poitrine, la fin du monde aura sonné.

EN HAUT : *L'extraordinaire Dévot Christ de la cathédrale de Perpignan.*
C'est l'un des plus étonnants Christ en croix qu'on puisse admirer.
Il remonte au XIVᵉ siècle, mais apparut à Perpignan deux siècles plus tard.
CI-DESSUS : *Les fenêtres de la Loge de Mer, d'un beau style gothique catalan.*
Leur décor flamboyant date d'un remaniement vers 1540.

Quéribus : 11 km
Saint-Paul-de-Fenouillet : 24 km

PEYREPERTUSE
(CHÂTEAU DE)
Aude

NID D'AIGLE CONFONDU DANS LE ROC DES
CORBIÈRES, LA PLUS GRANDE CITADELLE
CATHARE DU MIDI.

Quelle vue saisissante que cette échine de pierre blanche percée de fenêtres et de meurtrières, à 800 mètres d'altitude, qui étire ses ruines sur plus de 300 mètres ! Bâtie dans le rocher qui découpe sur le ciel une longue et vertigineuse arête, la forteresse de Peyrepertuse se confond avec les couleurs des Corbières. Son origine remonte à 1050, alors qu'elle est une position forte relevant de l'Aragon. Peyrepertuse change de destin au XIII° siècle, en étant vendue par l'Espagne à Saint Louis. Le château devient un poste avancé de la puissance française vers l'Espagne. Après avoir joué un rôle de premier ordre dans l'épopée cathare, Pey-repertuse garde ses fonctions militaires jusqu'à ce que la frontière du royaume soit reportée aux Pyrénées. Une petite garnison y habita jusqu'au XVIII° siècle. La forteresse comprend deux parties distinctes, le château bas, celui d'origine, et le château Saint-Georges, construit lorsque Peyrepertuse revint à la Couronne en 1239. Les murailles, réparées aux XIV° et XVI° siècles, en font l'un des ensembles cathares les mieux conservés du Languedoc. Une petite route mène au pied de l'éperon, qui ne présente là que des vestiges déchiquetés. Il faut ensuite marcher pour atteindre l'entrée. Le château bas occupe la partie effilée du rocher. Comme si la situation exceptionnelle ne suffisait pas, un système de défense sophistiqué fut édifié, avec un donjon complété aux XII° et XIII° siècles par une chapelle fortifiée, une cour basse dont les murailles épousent le piton rocheux et une courtine à deux tours. Quand Saint Louis acquit le château, il décida de fortifier le rocher le plus haut de la crête, le roc San Jordy. Il

À la pointe d'une mer de rochers, le château de Peyrepertuse domine le massif sauvage des Corbières. 2,5 km de remparts enserrent le plus important ensemble militaire médiéval du Languedoc. Le bastion cathare rassemble deux châteaux, des maisons, une église et un donjon au plus haut de la crête rocheuse. Peyrepertuse était si imprenable qu'il ne fut jamais assiégé...

fit tailler un escalier abrupt, appelé encore « l'escalier de Saint Louis », pour rejoindre le château Saint-Georges qui domine de 60 mètres le château bas. Les superbes salles médiévales, l'ancienne chapelle d'où la vue est splendide sur la montagne et la mer en font un site spectaculaire.

Ville d'art et d'histoire
Béziers : 23 km
Clermont-L'Hérault : 21 km

PÉZENAS
Hérault

LA VILLE-MUSÉE QUI SÉDUISIT MOLIÈRE EST UN SUPERBE RECUEIL DE L'ART CLASSIQUE MÉDITERRANÉEN.

Plongeant ses racines dans un passé très lointain, Pézenas, surnommée le « Versailles du Languedoc », attire chaque été les amoureux d'art classique. Instituée « ville d'art » en 1950, la cité viticole préserve

les traces de son histoire exceptionnelle. Bâtie sur une plaine fertile où s'étirent les vignobles, elle jouit à la fois de la proximité de la mer et de la montagne. C'est du VIIᵉ siècle av. J.-C. que date le mobilier d'une nécropole découverte en 1963 à l'ouest de la cité. Les objets exhumés témoignent des liens existant entre les différentes civilisations méditerranéennes. À l'époque romaine, les habitants de l'oppidum s'installèrent dans la plaine, à proximité d'une rivière, la Peyne, qui serait à l'origine du nom de Pézenas. Très riche, la ville bénéficie des échanges avec les pays du bord de mer. Dans son *Histoire naturelle*, Pline note que Piscenae est réputé pour ses laines, d'une excellente qualité. Avec les invasions barbares, Pézenas s'endort jusqu'à son rachat par Louis IX en 1261. La ville royale connaît une nouvelle prospérité grâce à ses célèbres foires de draps. En 1456, elle devient le lieu de réunion des états du Languedoc et attire noblesse et fonctionnaires. Les Montmorency, puis le prince de Conti en font leur résidence. Chaque session des états est le prétexte de fêtes somptueuses. Conti s'entoure d'une cour brillante d'artistes et d'écrivains. Attiré par ce faste, Molière y séjourne plusieurs fois entre 1650 et 1656. Séduit par sa troupe, le prince de Conti lui donne le titre de « Comédien de S.A.S. le prince de Conti ». Molière joue devant la cour à la Grange-aux-Prés, le château des Montmorency, et aussi en ville, pour le peuple. La tradition veut que l'« Illustre-Théâtre » ait représenté *le Médecin volant* et *l'Étourdi* dans le bel hôtel d'Alfonse. Habitant chez le barbier Gely, le comédien releva les mœurs et travers des gentilshommes et utilisa ses observations dans ces pièces.

Le vieux Pézenas possède un nombre incalculable d'hôtels princiers. Il faut pousser les portes ouvragées des vieilles maisons pour découvrir les cours intérieures, les superbes

EN HAUT : *L'ancienne maison consulaire de Pézenas fut plusieurs fois reconstruite depuis la création du consulat en 1241. La façade a été refaite au XVIIIᵉ siècle par l'architecte Jacques Cavalier. À l'étage, les fenêtres de la salle des délibérations s'ouvrent sur un balcon à la belle ferronnerie.*
CI-DESSUS : *Le visage joufflu d'un angelot sur la façade d'une maison de Pézenas.*

Les croisées d'og qui couvrent le escalier de l'hôte Lacoste, à Péze datent de 1é Rampe et balu remontent à la du XVIIᵉ si

escaliers et façades. L'hôtel de Lacoste est un parfait témoin de l'architecture du XVIᵉ siècle avec son escalier et ses galeries voûtées d'ogives. Sur la place Gambetta, ancien marché au blé de la ville au Moyen Âge, la maison du barbier Gely existe toujours. Lieu des séances des états, le corps de bâtiment du XVIᵉ siècle de la maison consulaire se cache derrière une façade du XVIIIᵉ siècle. L'hôtel de Sébasan, à façade du XVIᵉ siècle remaniée au XVIIIᵉ, vit séjourner la reine Anne d'Autriche. La rue Triperie-Vieille, jadis bordée d'échoppes, dissimule une cage d'escalier du XVIIᵉ siècle dans une cour discrète. Dans un bel ensemble du XVIᵉ siècle, le musée Vulliod-Saint-Germain contient des sculptures du château de Pézenas et du couvent des Cordeliers, des objets artisanaux et, surtout, cinq magnifiques tapisseries d'Aubusson illustrant le *Triomphe d'Alexandre* d'après Le Brun. Elles côtoient un mobilier principalement languedocien, du XVᵉ au XVIIᵉ siècle. Objets et documents rappellent le passage de Molière à Pézenas. Enfin, une collection de faïences et un ensemble de drapeaux et de bannières complètent la visite du musée. À deux pas, la porte de l'hôtel de Plantavit, du XVIIᵉ siècle, mérite un coup d'œil. La rue Alfred-Sabatier et la « maison des pauvres », les élégants hôtels de Wicque et de Carrion-Nizas de la rue de la Foire, la collégiale Saint-Jean et sa superbe Vierge en marbre, ou encore les rues Béranger et de Montmorency, qui bordent l'ancienne enceinte, offrent de nouvelles surprises. L'hôtel Jacques-Cœur et sa façade ornée de culs-de-lampe sculptés, l'hôtel de Conti, l'hôtel de Malibran et bien d'autres demeures somptueuses surgissent à chaque pas dans la vieille ville. Il ne faut pas oublier le sombre ghetto autour de la rue de la Juiverie, intact depuis le XIVᵉ siècle. Henri II de Montmorency, au XVIIᵉ siècle, fit percer la rue appelée aujourd'hui cours Jean-Jaurès qui agrandissait la ville à l'extérieur de l'enceinte. De nombreux hôtels donnent sur ces fortifications anciennes, ouvrant par des passages voûtés sur d'élégantes cours intérieures. La réputation des fêtes de Pézenas s'est maintenue au cours des siècles. Avec les représentations théâtrales et les concerts, la cité s'anime l'été d'expositions et de marchés artisanaux.

PLANÈS
Pyrénées-Orientales

Font-Romeu : 15 km
Mont-Louis : 6 km

UNE MYSTÉRIEUSE ÉGLISE POUR LES AMATEURS D'ÉSOTÉRISME.

Un tombeau musulman ? Une mosquée ? Une ancienne tour militaire ? Un centre initiatique des Templiers ? La curieuse église de Planès a fait couler beaucoup d'encre. Élevée au XIᵉ ou XIIᵉ siècle, à 1 600 mètres d'altitude, elle ne ressemble à aucun autre sanctuaire de la chrétienté, par son plan triangulaire surmonté d'une coupole. Sur chacun des côtés s'inscrit une absidiole. Cette disposition originale en forme de trèfle est sans doute un symbole de la Trinité, à laquelle serait consacré ce sanctuaire. Elle explique, en tout cas, le fait que l'église fut

Une surprenante architecture en Cerdagne : avec son plan triangulaire et sa coupole, l'église de Planès, longtemps attribuée aux Arabes, est une œuvre romane.

longtemps prise pour une mosquée. Avec ses niches et ses absidioles inégales, ses aménagements tardifs pour masquer ce plan trop « étrange », l'église ne ressemble à aucune autre en Europe. On y vénère une Vierge noire.

Bagnols-sur-Cèze : 11 km
Bollène : 9 km

PONT-SAINT-ESPRIT
Gard

« PORTE SAINTE, PORTE TRIOMPHALE DE LA TERRE D'AMOUR », SELON MISTRAL, LA CITÉ EST BIEN LA « PORTE D'OR » DE LA PROVENCE.

Petit port de pêche sur le Rhône dès le Vᵉ siècle av. J.-C., Pont-Saint-Esprit a été, de tout temps, un carrefour de voies fluviales et terrestres entre les provinces du Languedoc, du Comtat Venaissin, du Vivarais et du Dauphiné. La ville doit son nom au pont, bâti au XIIIᵉ siècle par un prieur, sous l'invocation du Saint-Esprit, qui facilita son rôle de cité-carrefour. Campé sur un rocher dominant le fleuve divisé à cet endroit en plusieurs bras, Pont-Saint-Esprit était au Moyen Âge le siège du prieuré clunisien de Saint-Pierre.

Étape pour les voyageurs, la ville devint un centre du commerce rhodanien très actif, englobée aux XVIᵉ et XVIIᵉ siècles dans une citadelle fortifiée par Vauban. Le Rhône impétueux était redouté des mariniers, dont Stendhal, dans ses écrits, relate la frayeur au passage de la ville. En 1944, lors de bombardements, l'enceinte fut en partie détruite. La vieille ville est pleine de charme avec ses ruelles étroites, ses maisons médiévales et ses passages voûtés. La citadelle comprend les restes de l'hôpital du Saint-Esprit, transformé en casemate au XVIIᵉ siècle, et les ruines de la collégiale des XIVᵉ et XVᵉ siècles, au remarquable portail gothique flamboyant. La place Saint-Pierre, ancien cimetière, est bordée de sanctuaires. L'église Saint-Pierre, du XVIIIᵉ siècle, l'église Saint-Saturnin, du XVᵉ siècle, restaurée au siècle dernier, la chapelle baroque des Pénitents sont les monuments les plus intéressants. De la place, on découvre le pont Saint-Esprit, à vingt-cinq arches contenues par de lourds piliers. La légende raconte qu'il fut élevé par treize ouvriers, dont l'un ne prenait ni salaire ni repas. Le Saint-Esprit lui-même... Le musée Paul-Ray-

La chapelle des Pénitents de Pont-Saint-Esprit présente une intéressante façade baroque. Le couronnement remonte au siècle dernier.

La petite ville de Pont-Saint-Esprit, bâtie sur un rocher, étale largement ses maisons le long du Rhône. Le XVIIIᵉ siècle transforma les fossés de l'enceinte qui enserre la cité en quais agréables pour les promenades. Un escalier à double volée construit au XIXᵉ siècle dans les remparts permet d'accéder à la place Saint-Pierre, ancien cimetière bordé de sanctuaires. L'église Saint-Pierre, à gauche, est un vestige d'un prieuré clunisien.

mond occupe l'ancien hôtel de ville, de style Charles X. Il est consacré à l'art et l'histoire de la région. Le sous-sol sert de dépôt lapidaire. Des collections de préhistoire côtoient des objets d'art religieux et une reconstitution de la pharmacie de l'hôpital de l'Œuvre-du-Saint-Esprit, regroupant plus de 200 faïences de Montpellier.

PRADES
Pyrénées-Orientales

Perpignan : 43 km
Villefranche-de-Conflent : 6 km

UNE ANCIENNE VILLE ROYALE PAISIBLE, ÉTAPE SUR LA ROUTE DES TRÉSORS ROMANS.

Cité sereine au pied du Canigou, dans un paysage de vergers et de vignes, Prades n'eut jamais à subir les remous de l'histoire. Pablo Casals la rendit célèbre dans les années cinquante, en y créant un festival de musique. Sur cette lancée, la petite ville a pris de nombreuses initiatives culturelles et est devenue le siège d'une université catalane d'été, des « Rencontres cinématographiques » et des « Journées romanes », qui l'animent au-delà de sa vocation touristique. Le quartier ancien est pittoresque avec le marbre rose qui enjolive bordures de trottoirs et porches des maisons. L'église Saint-Pierre, vaste édifice du XVIIe siècle, qui retentit souvent de concerts, a conservé son superbe clocher du XIIe siècle en marbre rose et granite. L'intérieur est célèbre pour l'immense retable baroque en bois sculpté du maître-autel, œuvre du Catalan Joseph Sunyer. Le retable de Saint-Benoît provient de Saint-Michel-de-Cuxa et possède de belles peintures du XVIe siècle. Les orgues du XVIIe siècle, l'autel dédié à la Vierge, le Christ en bois du XVIe, appelé le « Christ noir », et les autres retables forment l'un des mobiliers religieux les plus riches du Roussillon. Le musée Pablo-Casals, ouvert en 1982, expose quelques instruments du célèbre violoncelliste et sa correspondance.

PRATS-DE-MOLLO
Pyrénées-Orientales

Amélie-les-Bains : 23 km

UNE PITTORESQUE CITÉ FORTIFIÉE QUI A SU PRÉSERVER SON CACHET D'AUTREFOIS.

Capitale du haut Vallespir, Prats-de-Mollo s'épanouit dans les splendides paysages de la vallée du Tech. La ville

La vieille ville fortifiée de Prats-de-Mollo possède, au point le plus haut de la cité, cette église. Elle fut élevée au XVIIe siècle sur l'emplacement d'un sanctuaire du XIIIe siècle, dont il reste le clocher crénelé. Son chevet est pittoresque, avec son toit en étoile et ses puissants contreforts. On distingue, dans les remparts, une porte menant à un souterrain qui conduit jusqu'au fort La Garde, au nord de la ville.

montagnarde a conservé ses remparts du XIVᵉ siècle, renforcés par Vauban en 1683 et percés de quatre portes. La porte de France permet l'accès à la ville haute, dominée par l'église fortifiée du XVIIᵉ siècle. Le passage voûté de l'un des deux ponts qui franchissent le torrent traversant la ville et des escaliers permettent d'atteindre ce sanctuaire, bâti sur une église romane dont il reste le clocher crénelé. L'intérieur possède un bel ensemble de retables baroques. Celui du maître-autel, œuvre de Joseph Sunyer, illustre le martyre des saintes Juste et Rufine, patronnes de la ville. Dans la chapelle Saint-Michel sont gravés dans la pierre, navette, peigne et ciseaux, instruments de travail des tisserands de Prats-de-Mollo. Près du chevet de l'église, un impressionnant souterrain voûté monte du rempart à l'ancien fort La Garde, bâti par Vauban sur une ancienne tour médiévale. Chemin de ronde, ruelles en escaliers, maisons anciennes confèrent à cette place forte beaucoup de charme.

PUILAURENS (CHÂTEAU DE)
Aude

L'UN DES PLUS PUISSANTS CHÂTEAUX FORTS QUE NOUS AIT LÉGUÉS LE MOYEN ÂGE.

Fief de Guillaume de Puylaurens, ennemi juré de Simon de Montfort, la forteresse de Puilaurens résista aux Français jusqu'en 1255, date à laquelle elle devint place forte royale et poste avancé du roi de France aux frontières du royaume d'Aragon. Comment une telle forteresse, placée au sommet d'une pyramide rocheuse abrupte, put-elle être arrachée à ses défenseurs ? La silhouette intacte de son enceinte crénelée, à 700 mètres d'altitude, impressionne toujours les voyageurs, sur la route qui se dirige vers Perpignan. Le chemin qui mène au château est relativement accessible jusqu'au système de défense, très habile, que les bâtisseurs installèrent pour décourager les assaillants éventuels :

Axat : 7 km
Saint-Paul-de-Fenouillet : 18 km

Le château de Puilaurens dresse la masse intacte de ses remparts au sommet d'un roc impressionnant. Il possède un système de défense extrêmement sophistiqué.

neuf chicanes successives sur la faille d'un rocher du sentier forment, en effet, un escalier en zigzag. Une fois franchie la porte fortifiée, les assaillants se retrouvaient dans une sorte de souricière sur laquelle convergeaient douze meurtrières. Il fallait bien de l'audace pour venir à bout de cette entrée, la seule du château. On peut admirer aujourd'hui la vaste esplanade, cantonnée de courtines crénelées, au cœur de la forteresse. La muraille, agrandie aux XIIᵉ et XIIIᵉ siècles, est un chef-d'œuvre de construction. On décèle les traces du château primitif, du XIᵉ siècle, au pied de la grosse tour de guet construite au point culminant du site. Le donjon, les logis qui l'entouraient possédaient également leur propre système de défense. On ne pouvait y accéder qu'en montant une rampe abrupte, donnant sur un escar-

pement vertigineux. Ce qui reste des fondations, de la vaste cour, de l'enceinte et du tunnel creusé dans le roc qui mène au pied de la falaise, à l'ouest, témoigne de la splendeur de ce nid d'aigle.

Aux XVᵉ et XVIᵉ siècles, Puilaurens subit les assauts des Espagnols, qui s'en emparèrent en 1636 et la démantelèrent.

Quand le Roussillon fut rattaché à la France, la forteresse tomba peu à peu dans l'oubli, sans rien perdre de son altière beauté. Depuis quelques années, les Monuments historiques ont entrepris sa restauration.

PUIVERT (CHÂTEAU DE)
Aude

Quillan : 16 km
Lavelanet : 19 km

« AU PUY-VERD, DANS LES ASSEMBLÉES AUX FLAMBEAUX, ON RÉCITE NOUVELLES ET FABLIAUX EN JOUANT ET EN RIANT... »

Construit sur un promontoire peu élevé, à la frontière de l'Ariège et de l'Aude, le château de Puivert représente l'opposé des formidables bastions qui jalonnent la route de la guerre albigeoise. Donné par Simon de Montfort à un seigneur de Bruyère-le-Châtel, le château primitif, du XIIᵉ siècle, a disparu. Les vestiges actuels remontent aux XIIIᵉ et XIVᵉ siècles. Tout, dans ces vestiges, respire la sérénité d'un château davantage conçu pour les fêtes et les tournois que pour la guerre. La tour d'entrée, spacieuse, ouvre sur une immense cour d'honneur, absente dans les nids d'aigle cathares. L'enceinte est ponctuée de tours rondes ou carrées, la « tour bossue », la « tour gailharde », aux belles salles voûtées et escaliers à vis. Face à la tour d'entrée, le donjon, énorme masse rectangulaire, possède un intérieur étonnamment familier. Écus sculptés, blasons et armes, bustes d'homme et de femme, instruments de musique de pierre, élégantes fenêtres décorent les salles d'apparat, qui révèlent une belle douceur de vivre. La chapelle voûtée présente une clé sculptée figurant Dieu le Père couronnant la Vierge. Un porche fait communiquer la cour d'honneur avec la partie occidentale du château, formée d'une petite cour et de salles en ruine. Puivert exalte le Languedoc courtois, et l'imagination se déploie sans peine à la vue des importants vestiges qui subsistent jusqu'à nous. Ruinée à la Révolution, laissée à l'abandon, la forteresse a préservé sa magie de château de fêtes et de cours d'amour.

Une belle perspective depuis une tour du château de Puivert. On distingue, au premier plan, les ruines de ses remparts, construits aux XIIIᵉ et XIVᵉ siècles. Au fond, le village de Puivert, niché au cœur d'une vallée verdoyante. La forteresse, prise d'assaut par Simon de Montfort en 1210, fut définitivement laissée à l'abandon après la Révolution. Ce qu'il en reste laisse imaginer son ampleur passée.

EN HAUT : *Ce buste d'homme portant un instrument de musique, sculpté dans l'une des salles du donjon de Puivert, permet d'imaginer le décor exceptionnel du château au temps de ses cours d'amour.* CI-DESSUS : *L'enceinte du château est ponctuée de tours dont les intérieurs sont assez bien conservés. L'ensemble de la forteresse s'étend largement sur un rocher peu élevé. À l'époque des troubadours, l'accès y était fac-*

À LA GLOIRE DE SIMON-PIERRE, PÊCHEUR D'HOMMES

nd saint fondateur de l'Église catholique, pêcheur de la mer de Galilée devenu le e de la chrétienté, que le sculpteur catalan er a choisi comme dédicace du monumental ois doré, peint et sculpté, qui orne le maître- lise de Prades. Aussi virtuose dans la gran- osition d'ensemble, où le débordement de spute à l'art de la mise en scène, que dans eau animé d'une vie tumultueuse, Sunyer

juxtapose les personnages avec un goût l'emphase théâtrale. Mais le texte de l' est pas moins respecté à la lettre : « En long de la mer de Galilée, Il vit deux appelé Pierre, et André son frère, qui jeta dans la mer, car c'étaient des pêcheurs. Venez à ma suite, et je vous ferai pêcheu Eux, aussitôt laissant les filets, le suivirer IV, 18-19).

QUARANTE
Hérault

Béziers : 24 km
Capestang : 9 km

L'UNE DES PLUS VIEILLES ÉGLISES DU PREMIER ART ROMAN DU DÉPARTEMENT.

Perché sur un ancien oppidum au cœur d'un pays de vignes, Quarante a le charme des villages toscans. Selon la tradition, son nom vient des quarante martyrs vénérés dans le sanctuaire du Xᵉ siècle qui occupait la place de l'église actuelle. Sainte-Marie-de-Quarante est une merveille d'architecture, l'une des plus anciennes du premier roman méridional. Si la nef, le transept et le chœur furent élevés au XIᵉ siècle, le porche, massif, est un peu postérieur. Le décor de l'abside, avec ses bandes lombardes, est remarquable. L'intérieur, très sobre, possède une triple nef. Le transept est couvert d'une coupole sur trompes. Le riche mobilier présente deux superbes tables d'autel romanes, au décor antique, en marbre blanc du XIIᵉ siècle, des sarcophages de style wisigothique, une Vierge de l'Assomption en bois doré du XVIIᵉ siècle et des fragments d'inscription. Un somptueux sarcophage en marbre, du IIIᵉ siècle, marque l'entrée du trésor, qui renferme, entre autres merveilles, le reliquaire de saint Jean-Baptiste en argent et vermeil, daté de 1440, et deux châsses du XVIIᵉ siècle.

QUÉRIBUS
(CHÂTEAU DE)
Aude

Maury : 7 km
Peyrepertuse : 11 km

FORTERESSE DE FRONTIÈRE, CE « DÉ POSÉ SUR UN DOIGT » FUT L'UNE DES DERNIÈRES CITADELLES DU CATHARISME.

Perché à 800 mètres d'altitude sur un piton rocheux, le château de Quéribus domine la plaine du Roussillon, les Pyrénées et les Corbières. C'est peu dire que la vue y est admirable. Le sentier sinueux, entrecoupé de murs de défense, mène à l'unique entrée, restaurée il y a quelques années. Quéribus n'est qu'un énorme donjon trapu, ramassé, qui daterait probablement du XIIᵉ siècle, et subit de nombreuses transformations. Il renferme une grande salle voûtée d'ogives qui possède, curieusement, un pilier central aux élégantes nervures. Cette salle donna lieu à de nombreuses interprétations et ses particularités architecturales (le pilier n'est pas exactement au centre) pourraient recouvrir un symbolisme solaire, comme à Montségur. Prise dans l'épaisse maçonnerie du donjon, une petite salle obscure est le point de départ d'une galerie creusée dans le roc menant au pied de l'édifice, qui permettait sans doute d'atteindre la corniche rocheuse, puis les garrigues. En 1241, le château accueillit des cathares. Dernier siège de la croisade

L'église romane Sainte-Marie, à Quarante, présente, dans un intérieur d'une belle sobriété, des sarcophages monolithiques de style wisigothique. Ce médaillon appartient à un sarcophage en marbre plus ancien, du IIIᵉ siècle. Les expressions des visages, la fluidité des tuniques expriment un art consommé de la sculpture. D'autres éléments romans décorent le sanctuaire.

Quel exploit pour les hommes du Moyen Âge d'élever dans un tel site, le château de Quéribus ! La forteresse domine toute la plaine du Roussillon

albigeoise, il tomba aux mains du pouvoir royal. Forteresse à la frontière de la France et de l'Espagne, il fut pris par les Espagnols au XVᵉ siècle avant de redevenir français avec le traité des Pyrénées.

QUÉZAC
Lozère

Florac : 11 km
Ispagnac : 2 km

UN PÈLERINAGE À LA VIERGE RENOMMÉ AU XIᵉ SIÈCLE.

Les gorges du Tarn et les Causses composent une belle toile de fond pour le petit village de Quézac, célèbre au Moyen Âge par son pèlerinage marial. En

1050, une statue de la Vierge fut découverte sur le site de l'église actuelle, construite au XIVᵉ siècle. Le pape Urbain V, qui fonda la collégiale entourant l'église, eut l'idée de jeter un pont sur le Tarn pour faciliter aux pèlerins l'accès au sanctuaire, mais c'est son successeur qui exécuta le projet. Détruit pendant les guerres de Religion, le pont gothique, reconstruit sur le plan d'origine au début du XVIIᵉ siècle, est soutenu par cinq arches fort élégantes. Le porche de l'église est une belle œuvre du XVIᵉ siècle. À l'intérieur, quelques pierres gravées d'armoiries conservent le souvenir du pape Urbain V. Les rues du bourg sont pittoresques, bordées de maisons anciennes, avec de nombreux points de vue sur les montagnes alentour.

REMOULINS
Gard

Nîmes : 18 km
Avignon : 22 km

LA COMMUNE DU CHEF-D'ŒUVRE LE PLUS GRANDIOSE DE L'ART ROMAIN : LE PONT DU GARD.

Au cœur d'un paysage de vignes et de vergers, le bourg de Remoulins préserve son charme de cité fortifiée. Seigneurie royale attribuée à la famille d'Uzès puis aux Crusol, le bourg fut assiégé au XVIᵉ siècle par le duc de Montmorency. Les nombreuses grottes qui l'entourent attestent d'une présence humaine depuis les temps les plus reculés. La grotte de la Salpêtrière abrite

EN HAUT : *L'église de Quézac, du XIVᵉ siècle, s'ouvre par ce beau porche du XVIᵉ siècle.*
CI-DESSUS : *Un pont gothique à cinq arches fut jeté sur le Tarn au XIVᵉ siècle.*
Les guerres de Religion l'endommagèrent. Il fut reconstruit au début du XVIIᵉ siècle
sur le plan d'origine. Autrefois, une statue de la Vierge garnissait l'arceau au milieu du pont.
Quézac était en effet un lieu de pèlerinage célèbre au Moyen Âge.

un mobilier datant du paléolithique. Fortifié à la fin du XIIᵉ siècle, Remoulins conserve des vestiges de remparts, une porte de ville, la tour des Escarvats et un donjon accolé à la mairie. Son église romane sert de lieu culturel. La curiosité du bourg est l'ancien pont suspendu, dont il reste des fragments, orné de colonnes doriques. Mais la merveille de la commune, depuis des siècles, est le célèbre pont du Gard, jeté au-dessus du Gardon, la partie la plus grandiose d'un aqueduc qui menait à Nîmes les eaux d'une fontaine captées près d'Uzès. Il est le plus haut de tous les aqueducs romains, avec trois étages d'arcades en retrait l'un sur l'autre et dont la partie supérieure est longue de 275 mètres. Construit vers l'an 19 av. J.-C., c'est un chef-d'œuvre de la technique romaine. Son architecture variée, la teinte dorée des pierres contrastant avec la verdure, l'harmonie et la majesté des proportions séduisirent bien des écrivains, peintres et voyageurs. Rousseau, Stendhal, Flaubert et tant d'autres exaltèrent la science de ces

Romains qui savaient à quel point le fonctionnel pouvait rejoindre la beauté. Le pont n'étant qu'une partie de l'aqueduc, on retrouve par endroits les traces des arches ruinées ou des pans de mur, souvent enfouis dans la garrigue.

SAINT-ANDRÉ-DE-SORÈDE
Pyrénées-Orientales

Perpignan : 20 km
Argelès-sur-Mer : 4 km

DANS UN PETIT VILLAGE DES ALBÈRES, LA BEAUTÉ D'UNE ÉGLISE ROMANE.

Proche de la mer, au pied des Albères, le village de Saint-André-de-Sorède est fier de sa belle église romane, reste d'un ancien monastère carolingien. L'église, restaurée au XIIᵉ siècle, a conservé des fragments du sanctuaire préroman, en arêtes de poisson, sur la façade et le long des murs

Dans un environnement naturel heureusement intact, le pont du Gard est une remarquable œuvre d'art. L'ensemble fut construit en pierre de Vers, un calcaire résistant, d'une texture assez grossière. La maçonnerie de l'étage supérieur est revêtue de petits moellons. La construction du pont fut réalisée en tenant compte des crues du Gardon. Les deux premiers étages possèdent de grandes arches, inégales en diamètre ; l'étage supérieur présente des arches plus petites qui supportent le canal.

EN HAUT : *L'admirable linteau de l'église de Saint-André-de-Sorède*
est orné de ce superbe Christ, entouré de deux anges aux ailes déployées.
Le tracé des drapés, l'expressivité des visages sculptés dans du marbre blanc
en font un chef-d'œuvre de l'art roman. CI-DESSUS : *Le linteau est entouré*
d'une frise magnifiquement ciselée. Le tympan est moins ancien.

de la nef, qui se mêlent à l'appareil régulier du XIIᵉ siècle. Joyau de l'église, le linteau en marbre de son portail s'apparente à celui de Saint-Génis-des-Fontaines, mais ne semble pas être de la même main. Les personnages y sont sculptés avec plus de vivacité encore qu'à Saint-Génis. Le décor de palmettes et de médaillons de la fenêtre au-dessus du portail, orné du bœuf et du lion de l'Apocalypse, d'anges et de séraphins, est sans doute l'œuvre du Maître de Saint-Génis. L'intérieur de l'église, très dépouillé et majestueux, comprend un curieux assemblage de piliers qui forment de véritables contreforts. Seuls éléments décoratifs, une admirable table d'autel carolingienne à lobes, aux motifs semblables à ceux du linteau, et un très ancien bénitier en marbre blanc. Dans le chœur, un chapiteau roman provient de l'ancien cloître. On distingue sur un mur, le fragment d'une peinture représentant un Apôtre, datée du XIᵉ siècle.

Perpignan : 27 km

SAINT-GÉNIS-DES-FONTAINES
Pyrénées-Orientales

UNE ÉGLISE CÉLÈBRE POUR SON LINTEAU, LA PLUS ANCIENNE PIÈCE ROMANE DATÉE DE FRANCE.

Dans le village de Saint-Génis-des-Fontaines, dont le nom provient des fontaines descendues des Albères pour irriguer les terres fertiles, un monastère bénédictin fut fondé au IXᵉ siècle, détruit et reconstruit à la fin du Xᵉ siècle. Sur la façade de l'église romane, qui déploie la sobre architecture des Xᵉ et XIᵉ siècles, a été mis en valeur un remarquable linteau, la première œuvre datée représentant la figure humaine dans la sculpture romane. Il porte la date de la 24ᵉ année du règne du fils d'Hugues Capet, ce qui correspond à 1019 ou 1020. Le Christ en Gloire, soutenu par des anges, est entouré de six apôtres au regard naïf, mêlés à un décor d'arcs et de feuillages. L'ensemble prend toute sa valeur quand on sait qu'il est l'un des premiers essais de sculpture monumentale en Occident, après la longue période obscure qui suivit les invasions barbares. L'église abrite un beau bénitier du XIIᵉ siècle, un retable du XVIIᵉ siècle et deux ravissants autels dans les chapelles latérales.

L'histoire du cloître de Saint-Génis est étonnante. Il fut démantelé et vendu en 1924, après la réalisation de quelques copies en marbre de colonnes et de chapiteaux. De sorte qu'il exista deux cloîtres de Saint-Génis, l'un au Pennsylvania Museum de Philadelphie, l'autre au château des Mesnuls, près de Montfort-l'Amaury. Le Louvre possède également deux vraies arcades. À Saint-Génis ne subsistait qu'un seul chapiteau. Le Conseil général des Pyrénées-Orientales a récupéré les vestiges du château des Mesnuls et les remet actuellement à leur place d'origine.

SAINT-GILLES
Gard

Nîmes : 19 km
Arles : 16 km

« IL FAUT RENDRE VISITE AVEC DES ÉGARDS TRÈS ATTENTIFS AU CORPS VÉNÉRABLE DE SAINT GILLES, PIEUX CONFESSEUR ET ABBÉ, CAR SAINT GILLES, CÉLÈBRE DANS TOUS LES PAYS DU MONDE, DOIT ÊTRE VÉNÉRÉ PAR TOUS... » (GUIDE DU PÈLERIN DE SAINT-JACQUES-DE-COMPOSTELLE).

Autour de Saint-Gilles, des collines couvertes de garrigues, la plaine de la Camargue, des oliviers, de la vigne, des rizières, des vergers. Le bourg est au cœur d'une terre agricole très riche. Avant l'installation d'une colonie grecque de Marseille, un comptoir phénicien a probablement occupé le site. Mais les heures de gloire de Saint-Gilles commencent au Moyen Âge, quand le village devient une étape sur la route de Saint-Jacques-de-Compostelle et un important centre commercial de la vallée du Rhône. Siège d'une puissante abbaye fondée selon la

La porte d'entrée de l'église de Saint-Génis-des-Fontaines et son célèbre linteau. Il représente l'un des premiers essais de sculpture monumentale romane. Celui qu'on appela le Maître de Saint-Génis inspira de nombreux sculpteurs au Moyen Âge.

tradition au IXᵉ siècle par saint Gilles, le bourg connaît une grande activité au XIIᵉ siècle avec son port ouvert sur un bras du Petit Rhône, sa foire internationale et le pèlerinage sur le tombeau du saint. Saint-Gilles possède à cette époque douze églises, des couvents, des hôpitaux, le château des comtes de Toulouse, dont on chercherait vainement les vestiges aujourd'hui. L'église actuelle date de cette période. Un fait célèbre reste dans l'histoire de la ville : au début du drame albigeois, l'assassinat du légat pontifical par un écuyer du comte de Toulouse. Raymond VI dut subir une humiliante pénitence à Saint-Gilles pour obtenir l'absolution. L'hérésie cathare et la création du port d'Aigues-Mortes marquent le déclin de Saint-Gilles. L'abbaye fut en partie détruite lors des guerres de Religion.

L'abbatiale du XIIᵉ siècle s'élève sur l'emplacement d'un sanctuaire qui avait abrité le tombeau de saint Gilles. Détruite en 1622, restaurée maladroitement au milieu du XVIIᵉ siècle, elle n'en reste pas moins un remarquable témoin de l'architecture romane du Midi. Il faut reconstituer le cloître, les bâtiments monastiques et le chœur de l'ancien sanctuaire pour comprendre l'ampleur de l'abbaye au Moyen Âge. De ces splendeurs ne subsistent que l'admirable façade, un chœur ruiné et une partie de la crypte. La façade est une merveille avec ses trois portails sculptés, parfaitement ordonnés et rythmés par des colonnes de style antique, d'inspiration gallo-

romaine, que l'on retrouve souvent en Provence. Le portail central, du milieu du XIIᵉ siècle, fut complété au début du XIIIᵉ siècle par les portails latéraux dans une heureuse harmonie. Avec son inspiration antique, la richesse iconographique de Saint-Gilles influença de nombreuses églises du Languedoc et de Provence. Lors d'un voyage dans le Midi, Mérimée fut séduit par cette façade : « Colonnes, statues, frises sculptées, rinceaux, motifs empruntés aux règnes végétal et animal, tout cela s'entasse, se confond ; des débris de cette façade, on pourrait décorer dix édifices somptueux. » Les thèmes d'ornementation sont centrés autour de la Vie du Christ, avec une grande frise qui court le long des portails et illustre la Passion. Selon les historiens, ce choix correspondait pour les moines à une volonté de lutter contre les thèses hérétiques en faisant défiler l'enseignement de l'Église. L'église haute actuelle est comprise dans la nef romane et fut remaniée au XVIIᵉ siècle. La crypte, immense, des XIᵉ et XIIᵉ siècles, rassemblait les fidèles autour du tombeau de saint Gilles. Les voûtes d'ogives comptent parmi les plus anciennes de France. Autels, sarcophages et chapiteaux voisinent avec tout un décor somptueux aux croisées et aux piliers, d'influence bourguignonne. Extérieur à l'église, le chœur roman fut rasé pendant la Révolution. On imagine l'ampleur de l'abbatiale en contemplant les vestiges du déambulatoire, qui subsistent au chevet de l'église. Sur le côté, deux clochers possédaient des escaliers tournants dont il ne reste plus que la « vis de Saint-Gilles », bel ouvrage du XIIᵉ siècle.

On peut encore admirer quelques restes des bâtiments monastiques, rue de la Dîme et impasse du Cloître, avec le cellier des moines, une vaste pièce carrée du XIᵉ siècle. Près du sanctuaire, la « maison romane », des XIIᵉ et XIIIᵉ siècles, très restaurée par Viollet-le-Duc, vit naître Guy Foulques, le troubadour devenu pape sous le nom de Clément IV. La maison est aujourd'hui un musée lapidaire rassemblant de fort beaux éléments provenant de l'abbatiale, un superbe Christ, l'Ange de saint Matthieu entre autres et un fragment de tympan, vestige d'une autre église. Des sarcophages y sont également exposés.

Une grande salle de sciences naturelles et une salle du vieux Saint-Gilles, où est évoquée l'ancienne

Une partie de la façade de l'abbatiale de Saint-Gilles, dont le style rappelle les monuments romains. Ici, deux des apôtres autour desquels s'ordonnent frises sculptées, rinceaux et colonnades.

LA « VIS DE SAINT-GILLES »

La fameuse « vis de Saint-Gilles » est restée célèbre par la perfection de son architecture. Escalier tournant qui desservait le clocher nord de l'abbatiale, elle est bien conservée à l'intérieur d'un pan de muraille percé d'un oculus ouvragé. L'escalier déroulant sa spirale est formé uniquement de marches gironnées, qui s'appuient sur le noyau central et sur les murs cylindriques. Le parfait emboîtement de ces marches forme une voûte en berceau hélicoïdal. Le tracé très compliqué des claveaux ainsi conçus est un véritable tour de force des tailleurs. Il faut monter au sommet de l'escalier pour saisir la qualité de l'assemblage des pierres. Les escaliers à vis de l'époque gothique seront beaucoup plus simples, chacune des marches servant de support à la suivante et formant une voûte au-dessous. Les compagnons tailleurs de pierre ne s'y trompaient pas en faisant de Saint-Gilles une étape importante de leur tour de France. On voit encore les graffiti qui marquèrent leur passage, leur nom gravé dans la pierre. Pour le grand architecte Philibert De l'Orme, la vis de Saint-Gilles était un chef-d'œuvre de la pierre taillée, la plus belle réussite du genre.

cité, complètent le musée. Flâner dans la ville permet de découvrir çà et là d'intéressantes façades romanes, aux belles fenêtres et éléments sculptés.

Aniane : 9 km

SAINT-GUILHEM-LE-DÉSERT
Hérault

LA CHANSON DE GESTE DE GUILLAUME D'ORANGE A IMMORTALISÉ CE VILLAGE CONSTRUIT AUTOUR D'UNE ABBAYE MÊLÉE À LA LÉGENDE.

« Le monastère doit autant que possible être disposé de telle sorte qu'on y trouve le nécessaire... de l'eau, un moulin, un jardin et des ateliers », demande la règle de saint Benoît. À Gellone, le lieu était propice à la fondation d'une abbaye. Au confluent de l'Hérault et du Verdus, dans un paysage sauvage de montagnes et de ravins, le village regroupe ses toits de tuile ocre et ses maisons de pierre blanche autour d'une abbaye élevée en 804, par Guillaume d'Aquitaine, comte de Toulouse. Après avoir passé sa vie à lutter contre les Sarrasins, ce petit-fils de Charles Martel choisit le lieu désert de Gellone pour y fonder une abbaye où il termine ses jours. Après sa mort, le monastère, qui prendra le nom de Saint-Guilhem-le-Désert, devient un lieu de pèlerinage renommé. Le tombeau du futur saint et un morceau de la Vraie Croix, remise à Guilhem par Charlemagne, attirent les pèlerins sur le chemin de Compostelle et les croisés qui se recueillent devant les reliques avant le grand voyage. Guilhem était une figure symbolique des luttes de la chrétienté. Au XIIᵉ siècle, des maçons jettent un pont sur l'Hérault pour faciliter l'accès à l'abbaye. Les guerres de Religion mirent fin aux siècles de prospérité et de piété de Saint-Guilhem. Dévastée par les protestants, elle est sécularisée au profit de l'évêché de Lodève et définitivement ruinée à la Révolution.

Les bâtiments monastiques ayant été démantelés, seule l'église subsiste, spectaculaire exemple de l'art roman du style lombard caractéristique dans la région. Pour admirer l'harmonie de Saint-Guilhem, il faut gravir le sentier à flanc de rocher jusqu'au cap de la Croux, d'où la vue est magnifique sur le village et l'abbaye. L'église fut construite à l'emplacement du premier sanctuaire. Sa façade occidentale est de toute beauté, ouverte par un large portail à voussures que surplombe un

On doit la belle ordonnance des lignes de l'abbatiale de Saint-Guilhem-le-Désert aux équipes lombardes qui remonteront jusqu'en Bourgogne au XIIᵉ siècle. Accrochée aux gorges du Verdus, l'abbatiale possède un imposant chevet à trois absides, d'une belle sobriété. L'abside principale, aux puissants contreforts, est coiffée de 18 niches à archivoltes retombant sur des colonnes. On distingue, à gauche, la tour défensive construite au XVᵉ siècle sur la façade romane.

clocher du XVᵉ siècle. On distingue, sur le mur de la tour-clocher, un bas-relief roman illustrant le Christ. En longeant les maisons anciennes à gauche de l'église, on atteint le chevet, remarquable par la richesse de sa décoration, exemplaire de l'art roman languedocien. L'intérieur est d'une belle sobriété. On reste saisi par l'harmonie des proportions, la beauté des voûtes obscures en plein cintre et l'ampleur de l'abside, merveille de l'architecture romane avec sa voûte en cul-de-four. La châsse de saint Guilhem et un reliquaire contenant le fragment de la Vraie Croix y sont exposés. Vestige du sanctuaire préroman, la crypte ne fut découverte qu'en 1962. Elle conserva jusqu'au XIIᵉ siècle la dépouille du saint. On voit encore les dalles qui portaient le sarcophage. Dans le croisillon sud, une porte donne accès au cloître, ou plutôt à ce qui reste du cloître dont l'histoire est mouvementée. Endommagé lors des guerres de Religion, il fut démantelé par un maçon qui le vendit pierre par pierre. Un juge de paix d'Aniane en regroupa des fragments de toute beauté, qui furent vendus de nouveau à un Américain. Cédées au musée des Cloîtres de New York, ces nombreuses pièces reconstituent en partie le cloître, qui domine aujourd'hui l'Hudson. Heureusement, quelques chapiteaux et colonnes furent sauvegardés à Saint-Guilhem et permettent de saisir ce que fut la magnificence de cet ensemble. Le musée lapidaire occupe l'ancien réfectoire, revoûté au XVIIᵉ siècle. Il abrite quelques pièces exceptionnelles, le sarcophage paléochrétien du IVᵉ siècle, en marbre blanc, de saint Guilhem, orné de scènes bibliques, et un autre sarcophage du VIᵉ siècle qui aurait contenu les restes des sœurs de saint Guilhem. Un Christ entouré des Apôtres, Adam et Ève avec le serpent, Daniel et les lions sont sculptés dans le marbre gris. L'autel de Saint-Guilhem, chef-d'œuvre du XIIᵉ siècle en marbre blanc incrusté de verres colorés, et la pierre tombale de l'abbé Bernard de Mèze comptent aussi parmi les trésors du musée.

Le magnifique cloître de Saint-Guilhem-le-Désert présente deux étages de galeries : les galeries inférieures datent du XIᵉ siècle ; les galeries supérieures, des XIᵉ et XIIIᵉ siècles. La partie nord s'ouvre sur le préau par une suite d'arcades jumelées à colonnette centrale.

Carcassonne : 17 km

SAINT-HILAIRE
Aude

UNE ABBAYE CAROLINGIENNE IMPORTANTE
QUI A SA PLACE PARMI LES LIEUX SAINTS DE
LA PROVINCE.

Entouré de montagnes boisées, le village de Saint-Hilaire regroupe ses maisons autour d'une ancienne abbaye carolingienne, fondée en 550 par saint Hilaire, premier évêque de Carcassonne. Avant d'être démantelée, au XVIIIe siècle, l'abbaye connut une grande prospérité et offre encore un ensemble de bâtiments groupés autour d'un cloître. L'abside de l'église, construite dans un beau grès ocre, est typique du roman provençal. Joyau du sanctuaire, l'« ossuaire de saint Sernin » est un sarcophage du XIIe siècle en marbre blanc, exécuté par celui qu'on appela le Maître de Cabestany et qui jalonna les routes de pèlerinages de ses œuvres. Le sarcophage devait contenir les reliques du saint

dans la crypte de Saint-Sernin à Toulouse. Mais l'œuvre avait cessé de plaire aux chanoines, qui la vendirent à Saint-Hilaire au XVIe siècle. Des sculptures très originales illustrent sur trois faces la vie et le martyre du

CI-DESSUS : *Entre les étroites ruelles du bourg de Saint-Hilaire au pittoresque cachet montagnard surgit l'abbaye bénédictine, bel exemple du roman provençal.*
EN HAUT : *Les bâtiments monastiques entourent le cloître, bien conservé. Construit au cours de la première moitié du XIVe siècle, il présente des galeries en charpente, reposant sur d'élégantes colonnes jumelées. L'ensemble est d'une grande sobriété.*

fondateur de l'église de Toulouse. Le cloître gothique, bien conservé avec ses 56 arcades reposant sur de fines colonnes géminées, est d'une grande élégance. Les galeries charpentées et non voûtées permettaient la finesse des supports. Les chapiteaux sont sculptés de feuillages et d'animaux de l'Apocalypse.

Amélie-les-Bains : 18 km
Le Boulou : 3 km

SAINT-MARTIN-DE-FENOLLAR
Pyrénées-Orientales

UNE CHAPELLE DISCRÈTE QUI ABRITE LE PLUS EXCEPTIONNEL ENSEMBLE DE FRESQUES DU ROUSSILLON.

Dans la chapelle très ancienne de Saint-Martin-de-Fenollar, dont le chœur remonterait au IXᵉ siècle, subsistent des fresques de facture primitive, étonnamment conservées. Les couleurs vigoureuses des peintures, ocres et rouges éclatants, ont survécu à l'usure du temps. Assez semblables à celles de Saint-Clément-de-Tahul, en Catalogne, ces fresques pourraient dater du début du XIIᵉ siècle. Sur la voûte, le Christ en majesté, dans une mandorle, entouré des quatre Évangélistes, est accompagné d'inscriptions et de frises sur un superbe fond ocre. Les Évangélistes sont figurés par des anges tenant un livre, sur lequel figure le symbole de chacun. On remarque également les 24 vieillards de l'Apocalypse, une Vierge dans un médaillon, l'Annonciation, la Nativité, l'Adoration des mages. Dans ces dernières scènes, la Vierge est curieusement couchée sur une sorte de lit à baldaquin. L'Enfant Jésus, lui, repose sur un autel et non dans une crèche. Ces fresques sont de précieux exemples de la peinture romane en Roussillon. Toute proche de Saint-Martin, l'église de Boulou reprend exactement les mêmes sujets, mais en sculpture, sur une frise au-dessus du portail.

SAINT-MARTIN-DE-LONDRES
Hérault

Montpellier : 25 km
Ganges : 20 km

À LA LISIÈRE DU CAUSSE, AU BORD DE LA PLAINE DE LONDRES, UN VIEUX VILLAGE AU CACHET ANCIEN INTACT.

Le bourg médiéval de Saint-Martin-de-Londres est né autour d'un prieuré bâti au XIᵉ siècle par les moines de Saint-Guilhem-le-Désert. « Londres » vient de l'occitan *Loudro*, qui signifie « marais ». Le village fut en effet construit dans un bassin marécageux aujourd'hui asséché. L'« enclos » fortifié au XIIᵉ siècle, qui comprend l'église entourée de maisons anciennes, qu'on appela le Fort Vieux, et la partie agrandie du bourg avec la tour de l'Horloge et l'enceinte du XIVᵉ siècle composent les deux parties de Saint-Martin. L'église, autour de laquelle se blottissent de ravissantes maisons le long de ruelles médiévales, forme un tableau qui surprend par son charme authentique. L'édifice, d'une architecture très homogène, date du premier roman. Le décor de son abside, le porche voûté et ses harmonieuses proportions s'apparentent à Saint-Guilhem. Malheureusement, l'église fut agrandie au XIXᵉ siècle, le clocher démoli ainsi que la façade et les autels romans. Le décor intérieur, du XIXᵉ siècle, n'a pourtant pas réussi à lui enlever son unité. Derrière le chevet s'élève l'ancienne maison claustrale, qui possède toujours la galerie à arcades qui entourait la place à la manière d'un cloître.

À quelques kilomètres de Saint-Martin-de-Londres, le beau village languedocien de Notre-Dame-de-Londres possède cette impressionnante demeure fortifiée du XIVᵉ siècle. Donjon, tours d'angle et créneaux lui donnent l'allure d'une véritable forteresse.

Le village de Saint-Martin-de-Londres est plein de charme. Ici, la place derrière l'église, dont le chevet est orné d'arcatures aveugles. Le lanternon date du XVIIIᵉ siècle.

Prades : 14 km
Vernet-les-Bains : 3 km

SAINT-MARTIN-DU-CANIGOU
Pyrénées-Orientales

DANS UN SITE QUI FASCINA LES ROMANTIQUES, UNE ABBAYE ROMANE DE TOUTE BEAUTÉ.

Splendide parure de la montagne, l'abbaye Saint-Martin-du-Canigou s'y incorpore à la manière d'un joyau serti dans le roc. Nid d'aigle dressé à 1 094 mètres d'altitude au bord d'un précipice, dans un paysage sauvage, l'abbaye fut construite au Xᵉ siècle par Guifred, comte de Cerdagne. Quittant femme et enfants, Guifred s'y retira en 1035 et y fut enterré dans une tombe creusée par lui-même dans le roc. Abandonnée à la Révolution, l'abbaye doit sa résurrection à un prélat amoureux d'art, Mgr de Carsalade du Pont, évêque de Perpignan, qui la restaura au début du siècle en modifiant son plan initial. Du cloître primitif à deux étages ne subsistaient que trois galeries. La galerie sud fut reconstituée avec les chapiteaux de l'étage supérieur disparu. Les sculptures en marbre blanc appartiennent aux styles roman et gothique : des animaux et des saints aux visages songeurs sont les plus anciens tandis que, datant de l'époque gothique, chiens, béliers et singes — figures grimaçantes symbolisant les péchés — participent à des scènes bibliques et légendaires témoignant de l'esprit mordant et audacieux des moines qui les ont sculptés. Les personnages qui incarnent les Vices et les Vertus et les moines torturés par des démons dénotent une imagination fertile. Accolée au cloître, l'ancienne chapelle qui précéda l'abbaye date du Xᵉ siècle et forme la crypte de l'église haute. Les énormes piliers de la nef supportent des voûtes qui sont les premières exécutées avant l'an mille. L'effet archaïque est saisissant, de même que dans l'église haute, du XIᵉ siècle, où tout est primitif : les fenêtres étroites, l'appareil en moellons, les épaisses colonnes de granit qui supportent les trois nefs et qui reposent à même le sol. Les chapiteaux n'ont pas de sculptures en relief, mais de simples dessins de feuillages ou d'animaux, d'une facture très naïve. Seul le chapiteau qui porte le maître-autel, provenant de l'ancien cloître, est sculpté (scènes de la vie de saint Martin). Cette expression de l'architecture romane marqua une étape décisive, car l'église de Saint-Martin-du-Canigou fut la première en France à adopter le plan latin, offrant une voûte en pierre sur un berceau en plein cintre.

On ne s'étonne pas d'apprendre que les romantiques furent séduits par le site ! Noyée dans un fouillis de verdure, construite au bord d'un précipice, l'abbaye de Saint-Martin-du-Canigou doit sa création à un comte de Cerdagne qui voulut se séparer du monde après la mort de sa seconde épouse. Très tôt, l'abbaye devint le refuge de nombreux chrétiens fuyant la domination musulmane. Le splendide clocher évoque les donjons de forteresses.

EN HAUT : *Nichée dans un vallon fertile, l'abbaye de Saint-Michel-de-Cuxa fut très vite, au Moyen Âge, le centre religieux le plus important du Roussillon. Son magnifique clocher à quatre étages de baies jumelées domine la plaine.* CI-DESSUS : *Les meilleurs artistes travailleront à l'abbaye. Au XIIe siècle, les carrières de marbre fournissent ce matériau rosé où sont taillées les colonnes du cloître. Les chapiteaux s'animent de l'imagerie fantastique, familière aux sculpteurs de l'époque.*

Prades : 3 km

SAINT-MICHEL-DE-CUXA
Pyrénées-Orientales

SPLENDEUR DE L'ART ROMAN EN
ROUSSILLON, BEAUTÉ D'UN CLOCHER DORÉ
PAR LE SOLEIL, ORIGINALITÉ D'UNE ABBAYE
À L'INFLUENCE MOZARABE...

Voici Saint-Michel-de-Cuxa, l'une des plus célèbres abbayes romanes du Roussillon et certainement la plus ancienne. Dressant sa haute silhouette de pierre sur le vallon fertile de la Leitera, le clocher de Saint-Michel veille sur l'abbaye fondée en l'an 883 sous l'invocation de l'archange. Elle connut ses heures de gloire entre le Xᵉ et le XIIᵉ siècle, puis tomba dans l'oubli au cours des différents régimes subis par le Roussillon. La Révolution acheva son déclin, et ses œuvres d'art, sculptures, colonnes et chapiteaux furent vendus par lots. En 1912, un Américain acheta la plupart des chapiteaux et arcades du cloître ; en 1926, le Metropolitan Museum of Art de New York les rassembla et reconstitua le cloître à une échelle réduite à Fort Tryon Park, sur les hauteurs de l'Hudson. Des réparations soigneusement menées commencent vers 1950. L'église est restaurée et une partie du cloître, refaite. Depuis 1965, des moines ont redonné vie à l'abbaye, qui accueille régulièrement des manifestations culturelles, un festival de musique Pablo Casals ou les Journées romanes.
L'église, consacrée en 974, est une splendeur, édifiée avec l'aide de maîtres d'œuvre mozarabes venus d'Espagne qui lui donnèrent cette facture originale. On retrouve les influences wisigothiques et mozarabes sur le clocher carré qui dresse ses quatre étages couronnés de créneaux au-dessus de l'abbaye. Les baies jumelées surmontées d'oculus en font un chef-d'œuvre de l'art roman. L'église possède de grands arcs en fer à cheval qui surmontent les absides, le transept et les fenêtres à la manière de la mosquée de Cordoue. La nef, terminée par une abside circulaire, a retrouvé sa couverture en charpente. Le portail de l'église, d'une grande richesse sculpturale, contraste avec la sobriété du décor intérieur. C'était l'ancienne entrée du cloître. On a du mal à distinguer sur les deux piliers de marbre, de part et d'autre de la porte, saint Pierre et saint Paul, patinés par le temps. L'arc qui les surmonte est merveilleusement ciselé. Mais la partie la plus émouvante reste la crypte, construite peu après l'an mille par l'abbé Oliba. La salle voûtée, obscure, tourne autour d'un puissant pilier central en palmier qui soutient toute la voûte circulaire, pleine d'une atmosphère mystique accentuée par une statue de la Vierge à la crèche, vénérée depuis un millénaire dans le silence du sanctuaire. Le cloître, en partie reconstitué, montre quelques sculptures de toute beauté. Les élégantes colonnes portent des chapiteaux ornés de motifs végétaux, d'animaux bondissants et de figures grimaçantes qui expriment la verve à la fois charnelle et mystique de ces sculpteurs du Moyen Âge.

LE ROUSSILLON ROMAN

Le Roussillon est une province extrêmement riche en art roman. Ce goût très fort, nourri dans ses premières manifestations du souvenir des monuments romains et wisigothiques, s'épanouit jusqu'à prolonger ses formes beaucoup plus tard que dans les autres régions. Cette survivance de l'art roman s'explique sans doute par le tempérament des hommes du Roussillon, ruraux et vigoureux, imprégnés de l'influence sarrasine, qui préféraient la sobriété aux élégances gothiques des villes. Les caractéristiques des édifices romans catalans résident principalement dans un décor de bandes lombardes, à l'extérieur, et dans un plan très simple. Ils sont surmontés de clochers carrés souvent puissants comme à Elne ou à Saint-Martin-du-Canigou. Au XIᵉ siècle apparaît une école qui produit des sculptures splendides. Les linteaux de Saint-André et de Saint-Génis ou les chapiteaux du cloître de Saint-Martin-du-Canigou en sont les témoins. Des compositions polychromes ainsi que de remarquables statues de la Vierge et des saints enjolivent les intérieurs. Le sanctuaire roman le plus ancien est l'abbaye de Saint-Michel-de-Cuxa, d'une conception très originale. Saint-Martin également participe à la splendeur de l'art roman catalan avec sa nef de toute beauté. Le prieuré de Serrabone est un autre joyau du Roussillon. Mais ces œuvres maîtresses ne doivent pas cacher la multitude de sanctuaires plus discrets, émouvants, qui marquent la province d'un mysticisme rural développé. Les XIIIᵉ et XIVᵉ siècles verront la survivance en architecture et en sculpture d'œuvres romanes, au moment même où s'étend l'art gothique. Saint-Génis-des-Fontaines en est un exemple.

SAINT-PAPOUL
Aude

Castelnaudary : 5 km

LA SURPRISE DE DÉCOUVRIR, DANS UN
VILLAGE, UNE ANCIENNE CATHÉDRALE.

Saint-Papoul ne fut pas toujours le petit village que l'on admire aujourd'hui. Il doit son origine à une abbaye bénédictine fondée par Charlemagne, érigée en cathédrale au XIVᵉ siècle après 400 ans d'existence. L'évêché fut supprimé à la Révolution. L'église, du XIIᵉ siècle, est intéressante du point de vue architectural. La nef unique, du XIVᵉ siècle, est couverte d'un berceau brisé sur doubleaux. Le chœur, le narthex et l'absidiole nord remontent au XIIᵉ siècle. Un superbe mausolée en marbre, du XVIIᵉ siècle, rappelle les anciennes splendeurs épiscopales : c'est le tombeau d'un ancien évêque, François de Donnadieu. Sur le sarcophage, orné de feuillages et de fruits, une statue le représente agenouillé devant un livre. L'expression du visage et la finesse des détails en font un chef-

d'œuvre. Des fresques, ajoutées au XVIIIᵉ siècle, viennent d'être restaurées. À l'extérieur, le chevet est cantonné de contreforts et orné de colonnettes dont les chapiteaux archaïques sont richement sculptés et qui seraient l'œuvre du Maître de Cabestany. Au sud de l'église subsiste un cloître du XIVᵉ siècle avec quatre galeries d'arcades en plein cintre aux chapiteaux joliment sculptés. Le village a conservé de belles maisons à pans de bois et en encorbellement.

Lamalou-les-Bains :
200 mètres

SAINT-PIERRE-DE-RÈDES
Hérault

JOYAU ROMAN PERDU DANS LA NATURE, UNE CHAPELLE CARACTÉRISTIQUE DE L'ART RURAL DU XIIᵉ SIÈCLE EN ROUSSILLON.

Non loin de Lamalou-les-Bains, sur la route du Poujol, la chapelle Saint-Pierre-de-Rèdes jaillit d'un petit cimetière. Cette ancienne église paroissiale fut édifiée au XIIᵉ siècle, étape sur l'un des chemins de Saint-Jacques-de-Compostelle. Bel exemple de l'art roman rural dans sa maturité, elle saisit par l'harmonie des proportions, la sobriété de l'architecture et son bel appareil de grès rose. L'élégante abside est ornée d'arcatures lombardes et d'un curieux personnage sculpté, un pèlerin peut-être ou saint Pierre.
Le portail sud possède un linteau décoré de motifs stylisés répétant le monogramme de Dieu en caractères coufiques. Le tympan qui le surmonte est seulement orné d'une croix faite avec des incrustations de basalte, rappelant le portail ouest. Le décor intérieur rassemble de beaux chapiteaux, deux bas-reliefs du XIIᵉ siècle, un saint Pierre, un impressionnant Christ en majesté et une statue de Notre-Dame à l'Enfant, du XIVᵉ siècle.

Le cloître de Saint-Papoul a des allures de patio oriental. Malgré ses arcades en plein cintre, il ne date que du XIVᵉ siècle.

SAINT-PONS-DE-THOMIÈRES
Hérault

Béziers : 51 km
Olargues : 18 km

DANS LA HAUTE VALLÉE DU JAUR, COUVERTE DE CHÂTAIGNIERS, DE PINS ET DE BRUYÈRES, LA PETITE CAPITALE DU HAUT LANGUEDOC.

Avec son parc naturel régional, Saint-Pons-de-Thomières est au cœur d'une région touristique appréciée. L'origine de la ville remonte à la préhistoire. Des fouilles dans les grottes avoisinantes témoignent de civilisations datant de près de 3000 ans av. J.-C. Dès la fin du IIᵉ millénaire, des habitants occupaient le site. Mais Saint-Pons doit sa véritable naissance à la création, en 936, d'une abbaye sur la rive gauche du Jaur. Dépendante de Cluny, elle est érigée en évêché au XIVᵉ siècle. Saint-Pons devient alors une ville prospère, spécialisée dans le commerce du drap. L'ancienne cathédrale appartient à la seconde moitié du XIIᵉ siècle et fut très remaniée aux XVIᵉ et XVIIᵉ siècles, après les importants dégâts causés par les protestants. Elle surprend par son imposante masse fortifiée au cœur de la ville et accumule tout un éventail de défenses, mâchicoulis, clochers crénelés, chemin de ronde et meurtrières. Pour porter cette véritable forteresse, il fallait une nef puissante. Vaisseau unique flanqué de chapelles gothiques, elle séduit par la sobriété de son architecture. Le décor du chœur, du XVIIIᵉ siècle, comprend de superbes stalles, une clôture, un retable et des orgues comptant parmi les plus prestigieuses de France. La façade extérieure actuelle est classique. L'entrée principale, d'origine, est intéressante pour son portail roman, aujourd'hui muré, divisé en deux baies au tympan sculpté. Ces sculptures, une Crucifixion, la Cène et le Lavement des pieds, sont de toute beauté, notamment le bouleversant visage de la Vierge de la Crucifixion. On aperçoit encore dans la ville les vestiges des fortifications, la Portanelle, la tour Saint-Benoît et la tour de l'Évêché. Le vieux Thomières conserve ses belles demeures des XVIᵉ et XVIIᵉ siècles aux fenêtres à meneaux, une tour carrée, dite « de la Gascagne », qui était le départ d'un chemin de ronde et la chapelle Notre-Dame-du-Jaur, du XIᵉ siècle. La chapelle des Pénitents et l'hôtel de ville, ancien palais épiscopal, complètent le tour de ville. Les amateurs de préhistoire peuvent découvrir au Musée municipal les vestiges des civilisations préhistoriques des grottes de la région ainsi qu'une présentation de statues-menhirs. Elles sont considérées comme la plus ancienne statuaire monumentale d'Europe.

Le chevet de l'ancienne cathédrale de Saint-Papoul est orné de curieux modillons sculptés et de colonnes à chapiteaux primitifs. Ils sont l'œuvre du célèbre Maître de Cabestany, auteur de sculptures admirables, répandues en Languedoc-Roussillon.

C'est dans l'une des communes les plus méridionales du territoire français, à l'orée du Vallespir montagnard où le Tech se fraye un chemin entre des rives abruptes, que la chapelle Saint-Martin-de-Fenollar possède un magnifique ensemble de fresques romanes du XIIe siècle, dans un état de conservation remarquable. C'est la grandiose liturgie céleste de l'Incarnation qu'évoquent ces peintures murales où dominent les ocres. Centre immobile de la vision sacrée autour duquel tout gravite, le Christ en majesté est célébré dans sa transcendante sainteté, dans sa souveraineté absolue sur la création. Pour désigner celui dont le nom est ineffable, l'apôtre Jean dira « Celui qui siège sur le trône » (voir page ci-contre). C'est ainsi qu'apparaît le décor le plus fréquent des grandes œuvres romanes : « Autour du trône se

L'IMAGERIE SACRÉE DE L'INCARNATION

tiennent quatre vivants. Le premier vivant est comme un lion, le deuxième est comme un jeune taureau, le troisième a comme un visage d'homme et le quatrième est comme un aigle en plein vol. » Mais la grande symbolique du cosmos divin ne peut se dissocier de la narration biblique de la naissance du Christ. Si les 24 vieillards de l'Apocalypse adorent celui qui vit dans les siècles des siècles, l'évocation des Rois mages (ci-dessous) — dont le très beau graphisme est souligné par une palette somptueuse — renoue avec le grand moment de la Nativité. Les détails des personnages (en bas, ci-dessous) permettent d'apprécier l'expression très maîtrisée du trait, avec des couleurs franches et vigoureuses, dans ce style typiquement roman des visages émaciés, des longues silhouettes fluides et des mains allongées aux gestes significatifs.

SAINTE-ÉNIMIE
Lozère

UNE PRINCESSE MÉROVINGIENNE
DONT L'HISTOIRE EST MÊLÉE
À LA LÉGENDE.

É tagé à flanc de falaise au pied du Tarn, le village de Sainte-Énimie est une oasis de verdure au milieu des falaises arides. Le curieux nom d'Énimie est celui d'une princesse mérovingienne, sœur du roi Dagobert. La légende raconte que, après avoir été guérie de la lèpre dans l'eau de la fontaine de Burle, Énimie fonda à cet endroit un monastère. Dès qu'elle quittait ces lieux, sa lèpre réapparaissait. Au Xe siècle, un prieuré bénédictin fut établi à Sainte-Énimie. Il disparut à la Révolution. La fontaine de Burle

existe toujours. À ses pieds se développe le village. Les ruelles pittoresques, bordées de maisons anciennes, ont gardé tout leur charme, comme la place au Beurre et la halle au blé. On voit encore les traces des vieilles fortifications. Une salle au mobilier typique d'autrefois a été reconstituée dans le Vieux Logis. Dans l'église du XIIe siècle, très remaniée, des céramiques modernes retracent l'histoire d'Énimie. De l'ancien monastère subsistent une salle capitulaire voûtée en berceau et les ruines de la chapelle romane Sainte-Madeleine, ornée de chapiteaux historiés.

SALSES
Pyrénées-Orientales

POLYCHROMIE DES MURAILLES EN PIERRE ET
EN BRIQUE, HARMONIE DES MASSES
PUISSANTES, LA PLUS ANCIENNE FORTERESSE
DE FRANCE CONÇUE POUR RÉSISTER À
L'ARTILLERIE.

A vec les remparts de Villefranche, la forteresse de Salses est le monument militaire le plus intéressant du Roussillon. Au carrefour de la « voie Domitienne » des Romains, le village de Salses commandait au Moyen Âge le passage entre la France et l'Espagne. Les textes mentionnent un château remontant au XIe siècle. Au XIVe siècle, le vieux château de Salses se retrouve du côté espagnol et l'idée s'impose de construire une forteresse neuve qui résisterait mieux aux attaques françaises, à l'entrée même du Roussillon. En 1497, l'ingénieur aragonais Ramirez édifie un redoutable fort conçu spécialement pour satisfaire aux exigences de l'artillerie naissante. Les murailles épaisses (10 à 12 mètres au lieu des 3 mètres habituels du Moyen Âge), de profonds fossés, des tours circulaires percées de canonnières donnent à la fortification des structures très sophistiquées prêtes à résister aux assauts éventuels. La reconquête du Roussillon fait subir de nombreux sièges à la forteresse. En 1642, Salses devient française, confortée par le traité des Pyrénées de 1659. Le report de la frontière à la crête des Pyrénées réduit la forteresse au rôle de simple poste militaire et les logements, conçus pour 1 000 personnes, se vident. Dans le cadre d'une étude sur l'organisation des frontières, Vauban fait effectuer quelques travaux. Le donjon est rabaissé à 25 mètres, le chemin couvert est davantage protégé. Mais le rôle militaire de Salses est terminé. La forteresse devient un temps prison d'État, puis dépôt de poudre à la Restauration. Depuis le début du

Florac : 27 km
Ispagnac : 18 km

Perpignan : 15 km

*a statue en pierre
e sainte Anne,
ans l'église de
ainte-Énimie, date
u XIVe siècle.*

*Ceux qui descendent, l'été, les gorges du Tarn s'arrêtent fréquemment à Sainte-Énimie.
Au sortir d'un défilé du Tarn, le village s'étire sur les rebords de deux causses.
Il est séduisant avec ses vieilles ruelles pavées, ses maisons de pierre et ses restes de fortifications.
La fontaine vauclusienne de Burle est à l'origine du village : à l'époque,
une belle princesse mérovingienne, Énimie, vint y soigner sa lèpre.*

EN HAUT : *Le front ouest du château de Salses regarde vers les Corbières. Au centre, le donjon est encadré de tours rondes. Les formes arrondies des courtines étaient destinées à faire ricocher les coups de canon vers le haut.* CI-DESSUS : *L'intérieur du château, bordé de galeries couvertes. Typiques de l'architecture militaire espagnole, celles-ci protégeaient les occupants aussi bien de la rigueur du soleil que des violentes averses d'orage.*

siècle, elle est l'objet de nombreuses restaurations qui lui ont rendu sa majesté première. Salses dresse son énorme masse patinée par le soleil et le vent au bord d'un étang, au pied des Corbières. La couleur des pierres et des briques ocre et roses lui confère le charme des monuments antiques. Son architecture est intéressante parce que très homogène, à une période de transition qui nous a laissé peu d'archives sur les constructions militaires. De plan rectangulaire, la forteresse s'organise autour d'une cour centrale, à laquelle on accède par un châtelet et trois ponts-levis, entourée d'écuries qui pouvaient accueillir près de 300 chevaux. Caserne, logis d'intendance, boulangerie, cuisines, prison étaient compris dans les bâtiments d'enceinte. On peut compter pour le donjon jusqu'à sept niveaux, qui communiquent entre eux par d'étroits escaliers, véritable dédale original semé de pièges, de chicanes et de coursives qui constituaient une défense efficace en cas d'invasion. Le plan de défense, à l'intérieur du fort, était en effet remarquable. À tous les niveaux, les quatre corps de bâtiment sont coupés par des cours qui cloisonnent les salles. On trouve un réduit totalement indépendant de la cour centrale. Le donjon, ultime point de défense, est isolé. L'élégant ouvrage semble avoir été le poste de commandement de la forteresse. Bien protégé, il abrite des salles d'habitation avec des cheminées, éviers et placards. Du sommet, on découvre une vue impressionnante sur le paysage alentour. La forteresse de Salses, qui faillit à plusieurs reprises être détruite, est l'une des dernières survivantes de l'histoire de l'architecture militaire.

XVIIIᵉ et XIXᵉ siècles alignent leurs belles façades. L'ancien évêché, demeure des abbés, présente une superbe façade Renaissance. Place du Vieux-Marché subsiste un ancien moulin à huile.

L'HABITAT DU LANGUEDOC MÉDITERRANÉEN

Le Languedoc méditerranéen commence là où la courbe des montagnes s'adoucit pour s'ouvrir vers la plaine et la mer. L'habitat est lié au climat et aux conditions de vie. Dans les plaines apparaissent les toits à pente douce couverts de tuiles canal ; en montagne, les toits pentus recouverts de lauzes, d'un caractère plus rude. Dans le Gard, les plateaux arides succèdent aux plaines fertiles. Les maisons ont ajouté des bâtiments pour les bêtes quand la vigne ne suffit plus.

Elles se pressent à flanc de collines pour s'abriter du mistral. Rares sont les villages qui ne sont pas dominés par un château en ruine. Autour de Montpellier, dans la garrigue, on trouve surtout des maisons à galerie couverte, édifiées sur des caves voûtées, avec des toits peu pentus. Les bâtiments d'exploitation prennent toute la place, alors que le logis d'habitation se resserre en étages superposés. Dans les Cévennes, la densité d'habitat est faible. Le schiste est le seul matériau de construction et les maisons se fondent dans le paysage. Dans les Causses réapparaît le calcaire, plus facile à tailler que le granite. Les constructions sont de véritables prouesses techniques pour arriver, avec un même matériau, à composer les volumes et les formes. Les bâtiments, en L ou en U, s'ouvrent sur une cour, souvent au midi. Le rez-de-chaussée est voûté en berceau, l'étage supérieur en ogives pour accentuer la pente du toit. Comme en Lozère, il porte de nombreuses lucarnes. Cette architecture simple et dépouillée se marie parfaitement avec le paysage aride des Causses. En analysant les différents types d'architecture du Languedoc-Roussillon, on s'aperçoit que le caractère des maisons de paysans groupées sur les crêtes, la structure des grands mas au cœur des cultures de la plaine et celle des pigeonniers et cabanes qui peuplent le flanc des collines sont à peu près identiques du Vivarais au Roussillon. Tout un héritage culturel est à sauvegarder.

Quissac : 7 km
Saint-Hippolyte-du-Fort : 9 km

SAUVE
Gard

FACE AU SOLEIL, DANS LES LOURDES SENTEURS DE THYM ET DE LAVANDE, LE CHARME D'UN VILLAGE MÉDIÉVAL.

Le Moyen Âge a marqué Sauve de son empreinte. Très prospère à cette époque, le village était le siège d'une abbaye bénédictine. Depuis le pont du Vidourle, la vue est fort belle sur le ravissant bourg construit en amphithéâtre sur la colline. Les étroites ruelles en escalier, les passages voûtés, les places à couverts et les demeures anciennes lui confèrent un cachet plein de charme. La tour de Mole, du XIVᵉ siècle, et les portes fortifiées sont des restes de fortification. De nombreux hôtels particuliers des XVIIᵉ,

SERRABONE
Pyrénées-Orientales

Perpignan : 36 km
Prades : 17 km

PLONGÉ DANS LE SILENCE DES ASPRES, LE PETIT PRIEURÉ PARTICIPE À LA POÉSIE DE LA MONTAGNE.

Une vie d'abstinence et d'humilité, telle était la règle de vie des moines augustins qui construisirent, au XIIᵉ siècle, un prieuré sur les pentes sauvages du Canigou. Le lieu désert et aride convenait magnifiquement à cette volonté de solitude. Abandonné pendant de longs siècles, Serrabone est l'un des plus beaux joyaux romans du Roussillon. Il ne reste que l'église, bordée d'un petit cimetière, qui surprend par la sobriété de son architecture et l'austérité du schiste avec lequel elle est bâtie. On y accède par une galerie ouverte sur le ravin, ancien promenoir des moines. Ses six arcades possèdent des chapiteaux de facture à la fois fruste et expressive dont les sculptures rappellent celles du cloître de Saint-Michel-de-Cuxa. Il fallait une école de sculpture romane roussillonnaise à Saint-Michel pour expliquer ce rayonnement vers les autres abbayes de la région. Le prieuré au beau clocher carré s'ouvre par une porte en bois dont

la ferronnerie est superbe. La surprise est alors totale. Quel ravissement de découvrir, après la rudesse de l'architecture extérieure, un décor ciselé de toute beauté ! Dans la nef lumineuse, en berceau brisé, colonnes, arcades et chapiteaux s'animent d'un monde sculpté extraordinaire. La tribune, ancien chœur des moines du XIIe siècle, taillée dans le marbre rose de Villefranche, en est le chef-d'œuvre, avec une richesse d'ornementation inouïe. Les trois rangées de colonnes, simples ou géminées mais toujours légères, supportent les croisées d'ogives. Elles portent des chapiteaux dont les scènes symboliques et religieuses offrent un ensemble d'art incomparable. Animaux affrontés, béliers, centaures, monstres terrifiants, figures humaines ricanantes, lions en chasse, en procession ou allongés, le tout mêlé de motifs végétaux, fascinent par la vigueur et la virtuosité des ciseaux qui ont travaillé la pierre. Le réalisme de ces sculptures témoigne de la technique déjà évoluée de ces artistes que la fantaisie entraînait parfois loin de la foi chrétienne. La nef de l'église date du XIe siècle, complétée au XIIe par deux galeries. L'abside et les croisillons furent reconstruits à la même époque. Après une longue période d'abandon, le prieuré fut relevé de ses ruines, à partir de 1940, par les Beaux-Arts.

EN HAUT : *La galerie méridionale du prieuré de Serrabone servait de promenoir aux moines. Elle s'ouvre sur un paysage grandiose. Les motifs de ses chapiteaux sculptés, monstres, masques et végétaux furent inspirés par ceux de l'abbaye de Saint-Michel-de-Cuxa.*
CI-DESSUS : *L'apparence austère du prieuré ne laisse guère deviner ses richesses intérieures. Bâti au milieu d'un maquis sauvage, le sanctuaire actuel est une œuvre du XIIe siècle.*

EN HAUT : *Détail de la tribune du prieuré de Serrabone, chef-d'œuvre des sculpteurs romans du Roussillon.*
Elle présente tout un bestiaire fantastique, des motifs floraux et quelques représentations humaines.
CI-DESSUS : *La tribune est entièrement exécutée dans du marbre rose des Pyrénées.*
Patinée par le temps, elle repose sur des colonnes jumelées formant
une arche superbement ornée. Au XIIe siècle, elle servait de chœur aux moines.

Montpellier : 28 km
Agde : 24 km

SÈTE
Hérault

PAUL VALÉRY, MAURICE CLAVEL, JEAN VILAR, GEORGES BRASSENS ET BIEN D'AUTRES ONT AIMÉ CETTE VILLE MÉDITERRANÉENNE, LUMINEUSE ET VIVANTE.

Trois siècles d'âge, ce n'est pas beaucoup pour une ville du Languedoc. Plus qu'une cité artistique, Sète est d'abord un site splendide, inséré entre les étangs de Thau et la Méditerranée. Le bassin quadrillé de canaux accentue le caractère maritime de ce port, apparu au XVIIᵉ siècle par la seule volonté de Louis XIV. Un grand port était effectivement nécessaire sur la côte pour accueillir les gros navires, le port d'Agde ne suffisant plus. Le site fut choisi au pied du mont Saint-Clair et les travaux furent confiés à Colbert et à Paul Riquet, le créateur du canal du Midi. Le XVIIIᵉ siècle montra que ce choix était excellent. Jusqu'au siècle dernier, Sète exporta en abondance vins, denrées alimentaires et produits divers, et aujourd'hui son activité s'est maintenue avec un équipement moderne qui facilite la diversité du trafic. Ses canaux reflètent la lumière méditerranéenne. Les odeurs des garrigues toutes proches, l'animation de son festival, qui attire chaque année une multitude d'artistes, le vieux port converti dans la plaisance font de Sète une ville animée et séduisante. Surplombant la promenade de la Corniche et le môle Saint-Louis, construit au XVIIᵉ siècle, le célèbre cimetière marin, cher à Paul Valéry, voisine avec un musée consacré au poète. Son architecture de verre, qui date de 1970, est lumineuse. Accompagnant des souvenirs de Valéry et de l'autre enfant du pays, Georges Brassens, des documents évoquent l'histoire de la région depuis la préhistoire. Une salle est consacrée aux fameuses joutes nautiques, spécialité de Sète depuis leur

PAUL VALÉRY ET LE CIMETIÈRE MARIN

« Ce lieu me plaît, dominé de flambeaux,
Composé d'or, de pierre et d'arbres sombres,
Où tant de marbre est tremblant sur tant d'ombres ;
La mer fidèle y dort sur mes tombeaux. »
Le cimetière marin, étagé à flanc de montagne face à la mer et au soleil levant, abrite la tombe de Paul Valéry, qui l'immortalisa. Né à Sète en 1871, originaire de Trieste, Gênes et Bastia par ses parents et grands-parents, le futur poète passe son enfance dans la ville méditerranéenne, qu'il glorifie dans ses œuvres : « Je suis né dans un de ces lieux où j'aurais aimé de naître. » La lumière du ciel et l'atmosphère du Midi se sentent à travers ses écrits. Il notait d'ailleurs en 1925 : « Il me semble que toute mon œuvre se ressent de mon origine. » Dans *Charmes*, il immortalise ce cimetière marin où il sera inhumé en 1945, dans la partie haute, la plus ancienne. Plus bas dans le cimetière reposent le comédien Jean Vilar et le jouteur Cianni, dont les ornements de la tombe rappellent la passion des habitants de Sète pour les joutes nautiques. Le cimetière a conservé tout son charme, planté d'arbres aux senteurs tant aimées de Valéry. Le chemin vers sa tombe est facilement repérable, si souvent parcouru par les visiteurs.

Le pied dans l'eau entre mer et étangs, baignée d'une belle lumière méditerranéenne,
Sète est une agréable station balnéaire, mais aussi un port de pêche actif.
Des maisons bourgeoises souvent pourvues d'entrepôts voûtés au rez-de-chaussée,
des églises et des immeubles récents bordent les quais où il fait bon flâner.
Leur animation vient des nombreux restaurants et du retour des chalutiers.

création. Des peintures de Doré, Courbet, Dufy, Desnoyer et Sartou, entre autres, complètent la collection d'aquarelles et d'eaux-fortes de Valéry, exposées dans la salle qui lui est réservée. L'illustre poète repose dans le cimetière marin, avec Jean Vilar, face à la mer. L'excursion du mont Saint-Clair offre une vue magnifique sur la ville, les étangs de Thau et les montagnes jusqu'aux Pyrénées.

SOMMIÈRES
Gard

Nîmes : 28 km
Montpellier : 28 km

UN PITTORESQUE VILLAGE MÉDIÉVAL AU RICHE PATRIMOINE.

Sommières doit sa naissance au pont construit au Ier siècle par les Romains, jeté sur les eaux du Vidourle pour faciliter les échanges commerciaux entre Nîmes et la région de Montpellier. Au IXe siècle, le bourg se développe sous la protection de la maison d'Anduze et de Sauve. Un château est construit sur les hauteurs pour surveiller la vallée et le pont. Annexé par Saint Louis au domaine royal en 1248 à l'occasion de la croisade contre les albigeois, il devient place forte protestante lors des guerres de Religion. Sommières était réputé pour ses vins d'excellente qualité. Foires et marchés maintinrent une grande activité jusqu'au XIXe siècle. Cette richesse permit la construction de ces nombreux hôtels particuliers des XVIIe et XVIIIe siècles qui bordent les rues pittoresques. Le village possède toujours son pont romain, où se dresse la tour de l'Horloge, de style gothique, qui gardait l'entrée de la ville basse. Sous les arches du pont, qui se prolonge dans la ville, ont été édifiées des maisons servant aujourd'hui de caves. Le Marché-Bas, une place aux belles demeures à arcades, montre les restes d'une arche romaine à l'entrée de la rue de la Grave. Une ruelle voûtée mène au Marché-Haut, qui est l'ancien marché à céréales de Sommières. La rue de la Taillade présente d'intéressants hôtels des XVIe et XVIIe siècles, qu'il faut découvrir en ouvrant des portes discrètes, dans les passages voûtés. Escaliers monumentaux, ferronneries ou chapiteaux s'y cachent. En grimpant des sentiers sinueux, on arrive à l'ancien château, dont l'origine remonterait au VIIIe siècle. Il ne reste que des ruines et une tour d'où la vue est splendide sur la ville, les garrigues et les Cévennes. Ouverte dans les remparts au XVIIe siècle, la porte du Bourguet remplaça une ancienne tour. À deux pas, la maison du tourisme, du XVIIIe siècle, présente une curieuse tête d'Hercule sur sa façade.

TAUTAVEL
Pyrénées-Orientales

Perpignan : 30 km
Estagel : 9 km

UNE DÉCOUVERTE CAPITALE POUR L'HISTOIRE DES ORIGINES DE L'HOMME.

Au cœur de montagnes arides, le village de Tautavel devint célèbre en 1971 avec la découverte de la grotte de la Caune de l'Arago et du plus ancien crâne humain retrouvé à ce jour en Europe ! On l'appela « l'homme de Tautavel ». Les archéologues pensent qu'il dut vivre il y a quelque 450 000 ans. D'autres ossements furent exhumés dans la grotte, que l'on peut visiter aujourd'hui. Un musée de la Préhistoire fut créé en 1979 pour conserver l'important matériel découvert. Il présente très intelligemment les grandes étapes de l'origine de l'homme à partir des sites régionaux : industries archaïques du paléolithique inférieur avec des outils de près d'un million d'années, chasseurs de Tautavel et leur environnement, reconstitution du paysage de ces temps reculés. Silex, poteries, épingles et parures éclairent superbement ces civilisations anciennes.

Le crâne dit « de l'homme de Tautavel », l'un des plus anciens crânes européens aujourd'hui connus. (Tautavel, musée de Préhistoire.)

La blanche ville de Sommières, nichée à flanc de colline, a conservé son vieux pont romain. Bâti sous l'empereur Tibère, il a résisté au temps et aux terribles « vidourlades », les crues impressionnantes du Vidourle, grâce à sa construction très élaborée.

Limoux : 42 km
Monthoumet : 9 km

TERMES
Aude

IL FALLUT QUATRE MOIS À SIMON DE
MONTFORT POUR VENIR À BOUT DE CETTE
FIÈRE FORTERESSE CATHARE.

Perchée sur un rocher fantastique qui plonge à pic sur le Sou, un affluent de l'Orbieu, la forteresse de Termes domine l'un des sites les plus sauvages des Corbières. À travers forêts, rocailles et ravins, une route mène au village de Termes puis, envahie alors par les herbes folles, aux ruines. Il ne reste plus grand-chose du puissant nid d'aigle qui défia les croisés : des pans des murs d'enceinte et d'un donjon, quelques traces des logis d'habitation et une chapelle, repérable par sa fenêtre en forme de croix. Ce qui subsiste des remparts permet pourtant de se faire une idée de l'allure de la forteresse. Un fragment de mur, percé d'archères, montre le début d'un escalier. Tout près, deux arcs forment la base d'une construction. On peut deviner une poterne, un contrefort qui soutient le mur nord-ouest, un peu plus loin une porte en arc brisé. De cette orientation, la vue sur les gorges du Sou est impressionnante. L'ensemble, enfoui dans la végétation, semble hors du monde. La forteresse est mentionnée au XIIᵉ siècle et appartenait à Raymond de Termes, un célèbre hérétique qui donnait souvent asile aux cathares. En 1210, Simon de Montfort mit le siège devant Termes, jugée imprenable. Ce sera le siège le plus dur du début de la guerre albigeoise, et le plus long (quatre mois). Montfort et ses croisés installèrent un camp sur le flanc le moins escarpé de la montagne. Ils avaient l'avantage de posséder une artillerie efficace. Raymond et son fils Olivier, qui fera plus tard la paix avec Saint Louis, enfermés avec près de 500 personnes, disposaient également de machines. Le siège traîna, les provisions manquèrent de part et d'autre. Malgré leur courage, les défenseurs du château durent se rendre, quand une dysenterie les laissa sans forces. Termes devint fief royal. Au XVIIᵉ siècle, Louis XIV ordonna sa destruction. Un maçon de Limoux fit sauter les murailles à l'explosif. Voilà pourquoi ce fier château cathare ne nous offre plus que des ruines.

La sihouette du château de Termes, presque irréelle, se profile au sommet d'une colline, dans un site magnifique. Le château évoque des ombres prestigieuses comme celles de Raymond et d'Olivier de Termes, qui défendirent ses murailles, en 1210, lors d'un siège mémorable. Trente ans plus tard, des seigneurs y soutinrent la révolte des Trencavel. De l'ancien nid d'aigle cathare ne subsistent que les ruines de deux enceintes, du donjon et d'un logis.

120

Perpignan : 10 km

THUIR
Pyrénées-Orientales

CENTRE VITICOLE RENOMMÉ, LA VIEILLE
VILLE A SU PRÉSERVER SON CHARME
D'AUTREFOIS.

Les Aspres, ces collines en bordure
du Canigou, sont parsemés de déli-
cieux petits villages cernés d'oliviers, de vignes
et de garrigues. Thuir est l'un d'eux. Ancienne
ville royale fortifiée, elle est citée dès le
Xᵉ siècle. Il reste d'importants vestiges de l'enceinte, des tours, et, au centre du village, de
belles maisons anciennes en briques roses.
L'église Notre-Dame-de-la-Victoire, du
XIXᵉ siècle, fut édifiée sur l'emplacement d'un
sanctuaire roman dont il subsiste quelques
traces. Son intérêt réside dans la ravissante
Vierge de la Victoire, du XIIᵉ siècle. Cette statue en plomb fondu est présentée dans un
« camaril » sculpté du XVIIIᵉ siècle. La Vierge
assise, d'une facture archaïque, tient sur ses
genoux l'Enfant Jésus bénissant. La décoration
des vêtements de soie brodée et de la couronne en pierreries étonne par sa richesse.

TOULOUGES
Pyrénées-Orientales

Perpignan : 6 km

LIEU HISTORIQUE DE LA PREMIÈRE TRÊVE DE
DIEU.

Toulouges reste un lieu mémorable
dans l'histoire de l'Église. C'est en
effet dans ce petit village que fut proclamée
pour la première fois en Occident, lors du

*Cette Vierge à l'En-
fant, exposée dans
l'église Notre-Dame-
de-la-Victoire à Thuir,
est une œuvre de la
fin du XIIᵉ siècle. La
statue de plomb est
présentée dans une
niche sculptée, typique
du XVIIIᵉ siècle. Cou-
ronnes et vêtements
sont ornés de
pierreries.*

LA VIERGE
À L'ENFANT
DE THUIR

L'église Notre-Dame-de-la-
Victoire renferme la célèbre
statue en plomb fondu, coulé
au moule, de la Vierge à l'Enfant, dont le nom mêle l'histoire à la légende. Autrefois
dorée, elle date de la fin du
XIIᵉ siècle et doit son nom,
selon la tradition, à la victoire
de Charlemagne sur les
Maures, remportée près du
Monestir-del-Camp, où la
Vierge était déjà l'objet d'une
grande vénération. Plus vraisemblablement, la statue est
connue sous ce nom depuis la
victoire de Lépante, en 1571,
traditionnellement attribuée à
l'intervention de Notre-
Dame-du-Rosaire. La Vierge
est assise de face, dans une
attitude très hiératique. Sa
tête voilée porte une couronne et son cou est orné d'un
collier ouvragé. L'Enfant Jésus
porte également couronne et
collier. Assis sur la Vierge, qui
laisse tomber ses mains sur
ses genoux, l'Enfant bénit de
la main droite tandis que de
la gauche il tient un livre. Le
siège présente des restes
d'une décoration géométrique
noir et argent. La sculpture à
la facture singulièrement
archaïque est identique à deux
autres Vierges du Massif central, issues sans doute du
même moule. On a retrouvé
deux autres Vierges encore,
identiques, en Catalogne, ce
qui prouverait l'existence
d'une route de pèlerinage
entre l'Auvergne et la Catalogne. Le XVIIIᵉ siècle a enve-
loppé l'œuvre d'un beau
« camaril » sculpté.

synode de 1027, la Trêve de Dieu, à l'initiative d'Oliba, abbé de Saint-Michel-de-Cuxa. Cette trêve interdisait, sous peine d'excommunication, de faire la guerre pendant les 24 heures dominicales. Quarante-six ans après, un concile, également à Toulouges, étendit l'interdiction à 300 jours par an. L'église Sainte-Marie dépendait autrefois de l'abbaye de Grasse. Elle a conservé une nef et une abside romanes. Le portail roman, en marbre, est un bel ouvrage avec ses colonnettes et ses chapiteaux. Sur le tympan, on devine la lutte de saint Michel et du dragon. Sur le mur sud, deux plaques de marbre reproduisent le texte du synode et du concile. Quelques vestiges d'une crypte romane, une statue en bois doré du XVᵉ siècle et des retables du XVIIIᵉ siècle embellissent l'intérieur du sanctuaire.

Serrabone : 22 km
Amélie-les-Bains : 25 km

LA TRINITÉ
Pyrénées-Orientales

LA SURPRISE DE DÉCOUVRIR, DANS UNE PETITE CHAPELLE DES ASPRES, UN MOBILIER DE TOUTE BEAUTÉ.

Non loin du prieuré de Serrabone, les Aspres recèlent un autre trésor des XIᵉ et XIIIᵉ siècles, la chapelle de la Trinité. Dominée par les ruines du château de Belpuig, elle est séduisante avec son appareil en pierre de taille et sa corniche décorée d'animaux variés. Le clocher remonte au XIIᵉ siècle. Les peintures romanes de la porte comptent parmi les plus remarquables de cette époque dans la province. À l'intérieur, la richesse du mobilier surprend. L'un des retables sculptés est consacré à la Trinité. À côté du Christ adulte et du Père vieillard, le Saint-Esprit ressemble curieusement à un adolescent, sans doute une tradition locale, car d'autres exemples existent dans la région. La pièce maîtresse du sanctuaire reste un très étrange Christ byzantin du XIIᵉ siècle, vêtu d'une grande tunique dont la polychromie est une restauration du XVIIIᵉ siècle.

UZÈS
Gard

◇ Ville d'art et d'histoire
Alès : 33 km
Pont-du-Gard : 14 km

« Ô PETITE VILLE D'UZÈS ! TU SERAIS EN OMBRIE, DES TOURISTES ACCOURRAIENT DE PARIS POUR TE VOIR ! » ANDRÉ GIDE.

La paisible ville médiévale d'Uzès, sereine au milieu des garrigues languedociennes, n'a pas oublié son passé tourmenté, qui resurgit dans chaque pierre. Dressé à l'extrémité d'un plateau que Racine décrivait comme une « montagne fort haute », le « premier duché de France » possède une position stratégique qui explique ses origines lointaines. L'Ucetia gallo-romaine est une cité au cœur de voies commerciales, qui frappe monnaie et construit sans cesse. À l'époque de la prise de Marseille par César, elle devient une cité résidentielle pour l'aristocratie nîmoise qui vient s'y reposer. Les trouvailles faites

...oyau de la chapelle ...e la Trinité, cet ...mouvant Christ ...yzantin remonte au ...IIᵉ siècle. Sa poly-...hromie est un ...pport du ...VIIIᵉ siècle.

C'est bien le Moyen Âge qui a marqué l'aspect général d'Uzès. Ces trois tours médiévales, de gauche à droite : la tour du Roi, aux curieux mâchicoulis, la tour de l'Évêque et la tour Bermonde font partie de la forteresse seigneuriale, au cœur de la cité, et symbolisent depuis le Moyen Âge les trois pouvoirs.

dans le sol d'Uzès montrent la richesse du cadre urbain à cette période. La construction de l'aqueduc, qui conduit l'eau potable jusqu'à Nîmes par le pont du Gard, date également de cette époque. Après l'apogée romain, un évêché est fondé au IVᵉ siècle. Mais il faut attendre l'aube du Moyen Âge pour voir apparaître, à Uzès comme dans le Languedoc, un temps de prospérité et de bouleversement intense. Des fortifications s'élèvent à partir de 1148. Une cathédrale est édifiée, puis détruite par les albigeois, et relevée à la fin du XIIᵉ siècle. Des exemples de cet essor médiéval surgissent à chaque pas dans les ruelles et les maisons : escaliers à vis, sculptures des façades, tour Fenestrelle, le campanile ajouré de la cathédrale, splendeur de l'art roman. Au XIIᵉ siècle, Uzès est dotée d'un consulat qui affirme l'émancipation de la bourgeoisie par rapport aux évêques et aux seigneurs. Sa richesse s'accroît avec la fabrication de textile, « la meilleure serge qui se vend dans beaucoup de pays ». Les premiers troubles apparaissent avec l'arrivée du catharisme, qui trouve un large écho dans la cité. De nombreuses églises sont détruites jusqu'au traité de Paris, en 1229, qui rattache le comté d'Uzès à la Couronne. La guerre de Cent Ans achève de briser l'essor médiéval. Au XVIᵉ siècle, Uzès se rallie massivement à la Réforme, et devient l'un des

bastions calvinistes les plus importants du Languedoc. La répression sème la violence, les dénonciations et les crimes. Mais, au XVIIᵉ siècle, la ville retrouve son dynamisme économique, l'industrie de la soie voit le jour, les églises sont reconstruites. Racine, alors tout jeune, y fait un séjour de 18 mois en 1661 et s'initie aux grands tragiques grecs. Ses *Lettres d'Uzès* sont d'intéressants témoignages sur les mœurs et coutumes des Uzétiens de l'époque. La cité va de nouveau s'appauvrir avec la révocation de l'édit de Nantes, qui entraîne le départ de la bourgeoisie active ; pourtant la fabrication de la soie est à son apogée et de nouveaux hôtels particuliers surgissent. Après la Révolution, des aménagements sont apportés à la ville. Désormais éloignée des grands axes routiers, Uzès s'endort et la vieille ville tombe en ruine. La loi Malraux, en 1962, permet un début de restauration qui lui redonnera vie.

Uzès a conservé son plan médiéval. Au cœur de la ville, la forteresse seigneuriale, appelée le Duché, évoque l'ascension de la seigneurie d'Uzès avec les trois tours qui symbolisent les trois pouvoirs ; la tour

Une porte Louis XIII, dans la rue Saint-Étienne, à Uzès. Sculptée en pointes de diamants, elle ouvre sur une cour polygonale. L'émulation entre les riches propriétaires du XVIIᵉ siècle produisit des trésors d'architecture.

Le Duché d'Uzès, seul château en France à pouvoir porter ce nom, témoigne de l'ascension historique de la maison d'Uzès. Ici, une partie de la façade Renaissance.

La place aux Herbes d'Uzès, au centre de la vieille ville, fut réaménagée au cours des siècles. Entourée d'hôtels historiques et de demeures du Moyen Âge (il faut prendre le temps de regarder pour découvrir leurs décorations de toute beauté), elle a gardé cependant son cachet d'autrefois. Lieu de rassemblements et de marchés, sous ses arcades ou autour de la fontaine, elle vibre certains jours d'une animation qui ne doit pas être loin de celle du Moyen Âge.

Ducale ou Bermonde et son superbe escalier Renaissance, la tour de l'Évêque et son horloge, et la tour du Roi aux curieux mâchicoulis. La tour Bermonde est un donjon rectangulaire du XIe siècle dont le couronnement fut reconstitué par Viollet-le-Duc. Du sommet, la vue sur la vieille ville est très pittoresque. Entre la chapelle gothique et la tour s'étend la façade Renaissance du Duché, qui aurait été exécutée sur les plans du grand architecte Philibert Delorme et rassemble les trois ordres, dorique, ionique et corinthien. L'intérieur abrite un mobilier de qualité. Les remparts d'Uzès avec leurs quatre portes imposent le tracé des rues étroites de la vieille ville. Arcades gothiques, cours pavées, belles ferronneries, portes et fenêtres du XVe siècle s'accumulent et lui confèrent un cachet ancien. Le quartier épiscopal comprend l'hôtel du Baron de Castille, avec une surprenante façade ornée de hautes colonnes, et l'ancien palais épiscopal du XVIIe siècle, qui fut construit après la cathédrale. Son harmonieuse façade cache un intérieur assez délabré. Seule l'aile sud, restaurée, comprend la bibliothèque municipale et un musée. Préhistoire, histoire du vieil Uzès, la

L'orgue de la cathédrale d'Uzès est remarquable par son ornementation et ses dorures. Il est le seul en France à posséder encore ses volets peints d'origine.

céramique traditionnelle de la région, des souvenirs de la famille Gide et quelques peintures et sculptures y sont rassemblés. La cathédrale Saint-Théodorit, édifiée au XVIIe siècle sur l'emplacement de la cathédrale médiévale, longe une belle promenade plantée de marronniers qui s'achève en terrasse, d'où la vue est splendide sur la ville et la vallée. La façade, refaite au XIXe siècle, contraste avec l'admirable tour Fenestrelle, campanile du XIIe siècle qui appartenait à la cathédrale primitive. D'une remarquable élégance, la tour ajourée avec de nombreuses fenêtres est un spécimen presque unique du genre. Les pillages de la Révolution nous empêchent de saisir l'ancienne richesse intérieure de la cathédrale. Il reste les balustres des tribunes, la belle rampe en fer forgé et surtout l'orgue, installé vers 1670 au-dessus de la voûte d'entrée. Avec son double buffet à volets gris et ses ciselures, il est le joyau de l'édifice, seul orgue en France à avoir conservé ses volets peints d'origine. Ce bel exemple du style « classique français » attire organistes et mélomanes par sa capacité à interpréter fidèlement les œuvres des compositeurs des XVIIe et XVIIIe siècles. Les quatre sacristies expriment encore la grande richesse des évêques. La place aux Herbes, entourée de couverts, est le lieu des fêtes et des rassemblements. L'hôtel d'Aigaliers, l'hôtel de la Rochette et les maisons médiévales — remaniées aux XVIIe et XVIIIe siècles —, toutes proches, accentuent son charme. À deux pas, l'église Saint-Étienne, du XVIIIe siècle, occupe la place d'une église romane démolie durant les guerres de Religion. Elle est flanquée d'une belle tour carrée du XIIIe siècle. Le quartier des Bourgades mérite une visite pour ses demeures anciennes. Le Museon di Rodo, qui présente des collections de vieilles voitures, complète un tour de ville plein d'intérêt pour sa réelle continuité entre le Moyen Âge et les siècles postérieurs. André Gide, dont la maison familiale est proche d'Uzès, exalta la ville dans *Si le grain ne meurt.*

*A*vec son double buffet à volets, gris et or, ses ciselures et moulures, l'orgue de la cathédrale d'Uzès est une pure merveille. Il fut installé sur la belle tribune en anse de panier, vers 1670. Une restauration, en 1963, lui a redonné son aspect des XVIIe et XVIIIe siècles. Sa sonorité parfaite permet d'interpréter des musiques de l'époque, avec une grande fidélité. Sa réputation attire dans la ville organistes et mélomanes.

Uzès : la tour Fenestrelle, du plus pur style roman. C'est le campanile de l'ancienne cathédrale médiévale. Ce type de tours à fenêtres est très rare.

Pont-Saint-Esprit : 10 km
Bagnols-sur-Cèze : 18 km

VALBONNE
Gard

PLONGÉE DANS LE SILENCE DES FORÊTS, UNE CHARTREUSE VASTE COMME UNE VILLE...

Forêts et enceinte fortifiée protégeaient jadis la chartreuse de Valbonne, fondée en 1204 par Guilhem de Vénejan. Superbe témoin de l'architecture des fils de saint Bruno, elle est organisée comme une véritable ville avec tous ses corps de bâtiments. Chaque moine possédait son ermitage et son jardin disposés autour d'un grand cloître. Endommagée lors des guerres de Religion, restaurée aux XVIIᵉ et XVIIIᵉ siècles dans le style classique, elle est abandonnée à la Révolution. Depuis 1926, la chartreuse est un centre médical.

Une porte fortifiée ouvre sur la cour d'honneur où s'élève l'église de facture classique. Les murs et l'autel du XVIIIᵉ siècle, recouverts de marbre, les stalles aux belles marqueteries et les voûtes de la nef et de l'abside composent un ensemble majestueux. Le petit cloître du XIIIᵉ siècle abrite la tombe du fondateur du monastère. On peut visiter une cellule de chartreux reconstituée.

VALMAGNE
Hérault

Pézenas : 14 km
Mèze : 8 km

LA « CATHÉDRALE DES VIGNES » ÉMERGE DE LA VERDURE, AU MILIEU DU VIGNOBLE LANGUEDOCIEN.

Fondée en 1138 par Raymond Trencavel, l'abbaye de Valmagne est l'un des très beaux monuments cisterciens de France. Du XIIᵉ au XIVᵉ siècle, grâce à des donations, elle fut extrêmement prospère, et ne comptait pas moins de 300 moines. Suivant

L'abbaye de Valmagne semble s'arracher à la vigne qui l'encercle de tous côtés. On reste stupéfait devant cet imposant bâtiment. Plus qu'une abbaye, c'est une véritable cathédrale par ses dimensions. Élevée à la gloire de saint Bernard sur le plan des grands sanctuaires gothiques, elle fut très riche au Moyen Âge. On distingue les arcs-boutants, de l'extérieur, imités des églises du Nord. Les bâtiments sont en très bon état.

l'histoire de la plupart des monastères, après avoir été dévastée par les guerres de Religion et restaurée aux XVIIᵉ et XVIIIᵉ siècles par quelques riches abbés, qui ajoutèrent un jardin à la française, elle fut de nouveau saccagée à la Révolution puis revendue. Son propriétaire la transforma alors en vaste domaine agricole et l'église, devenue un chais, choquait les visiteurs du XIXᵉ siècle. Depuis, une restauration active lui a rendu son allure d'autrefois.

Commencée au XIIIᵉ siècle et achevée au siècle suivant, l'église a été construite suivant le plan des grands édifices du nord de la France. Ses dimensions (82 m de long, 24 m de hauteur de voûte) lui ont valu l'appellation de cathédrale. Avec sa façade flanquée de tours, son vaisseau porté par des arcs-boutants épais, sa vaste nef, son chœur à chapelles rayonnantes ou ses murs très ajourés, elle surprend comme sanctuaire d'abbaye. Malheureusement, les fenêtres hautes furent obturées. L'ensemble des bâtiments monastiques, sacristie, salle capitulaire et cloître, est en bon état. Le cloître, aux belles pierres dorées, très remanié depuis le XIIIᵉ siècle, n'est guère décoré. La fontaine, surmontée d'un pittoresque dais du XVIIIᵉ siècle, l'est davantage, tout comme la salle capitulaire du XIIᵉ siècle, dont la voûte est ornée de motifs de style antique. Les restes d'un jubé gothique évoquent la Vie et la Passion du Christ. Le réfectoire possède une superbe cheminée Renaissance. Dans le parloir et la salle des moines, les différentes époques de construction se sont harmonieusement confondues.

VERNET-LES-BAINS
Pyrénées-Orientales

Perpignan : 54 km
Villefranche-de-Conflent : 5 km

UNE STATION THERMALE CÉLÈBRE POUR SON SITE ET SON AIR PUR.

Spécialisée dans le traitement des rhumatismes, la station de Vernet-les-Bains est internationalement réputée. La pureté de l'air et la beauté du site, au pied des massifs du Canigou, près du torrent du Cady, en faisaient déjà une halte appréciée à la fin du XIXᵉ siècle. Le vieux Vernet s'étage sur la rive droite du Cady, jusqu'à l'ancien château, accolé à l'église. Les ruelles fleuries sont bordées d'hôtels et de maisons charmantes avec leurs treilles. L'église Sainte-Marie, qui s'adosse aux murs coiffés de merlons du château, date du XIIᵉ siècle et se signale par sa porte ornée de belles ferrures, ses stalles du XVᵉ siècle provenant de Saint-Martin-du-Canigou et son bras reliquaire en argent du XIVᵉ siècle. Avec une cuve baptismale et une table d'autel romane, l'impressionnant Christ de l'abside complète cet intéressant mobilier.

VIAS
Hérault

Agde : 3 km

UNE VIERGE MIRACULEUSE RAPPORTÉE, DIT-ON, DE SYRIE PAR DES MARINS.

Tout près d'Agde, l'ancien bourg fortifié de Vias, très probablement d'origine gallo-romaine, doit sa renommée à un pèlerinage. On vient encore vénérer une statue de la Vierge en bois sculpté, recouverte de dorure. Il reste quelques vestiges des anciennes fortifications qui s'élevaient sur le tracé actuel du boulevard d'enceinte. Tout au long des ruelles médiévales s'alignent de délicieuses portes des XVIIᵉ et XVIIIᵉ siècles. L'ancienne maison des évêques d'Agde est l'un des seuls témoins du XVᵉ siècle. Un obélisque et une fontaine trônent au centre de la place des Halles. L'église fortifiée, de facture gothique, fut entièrement construite dans la pierre noire volcanique comme celle d'Agde et ne manque pas d'allure. L'intérieur à nef unique voûtée d'ogives abrite une chaire et un maître-autel du XVIIIᵉ siècle. La Vierge miraculeuse est exposée dans la chapelle du Saint-Sacrement.

La belle façade de l'église fortifiée de Vias.

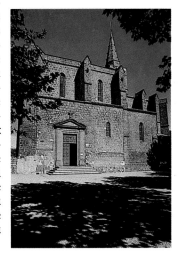

Au plus haut du bourg de Vernet-les-Bains, l'église romane Sainte-Marie a conservé sa porte du XIIᵉ siècle, ornée de belles ferrures. Les hommes du Moyen Âge avaient l'art d'embellir les plus simples détails.

Destinée à la chapelle funéraire d'Innocent VI dans la chartreuse du Val-de-Bénédiction, commandée par Jean de Montagnau, cette œuvre, qui tient de l'exploit artistique, fut réalisée un an après la mort du pape par Enguerrand Quarton (ou Charonton), qui fut actif à Avignon entre 1447 et 1461. Haute de 1,82 m et large de 2,20 m, cette peinture sur bois illustre magnifiquement l'époque où la cité des papes faisait se rencontrer artistes du Nord et du Midi à la cour du roi René. Quelle ampleur, quelle maîtrise dans la composition, où le foisonnement des personnages se déploie sur plusieurs niveaux, autour des vastes manteaux pourpres qui font écrin à la reine du Ciel ! À contempler ce Couronnement, on imagine

Plus de cent quatre-vingts per:

onnages pour glorifier la Vierge

le plaisir du peintre, nourri de l'héritage artistique des Flandres et du Piémont, à donner naissance à un univers aussi insolite. On découvre le Paradis avec les saints et les élus, le Ciel et la Terre avec Rome et Jérusalem, le Purgatoire et l'Enfer : tout l'univers chrétien présent pour célébrer la Vierge et la Sainte Trinité, dans un équilibre serein aux couleurs somptueuses, qui semble soutenu par le pâle crucifix sur fond sombre, arc-boutant tragique et solitaire du grand festoiement céleste. L'œuvre est saisissante de précision dans l'agencement des volumes, tandis que le mouvement cadencé des différents groupes de personnages et la qualité plastique de chacun d'eux portent l'empreinte caractéristique de l'école d'Avignon.

Ganges : 17 km

Font-Romeu : 30 km
Prades : 6 km

LE VIGAN
Gard

VILLE NATALE DU CHEVALIER D'ASSAS ET
DU MOINS CONNU SERGENT TRIAIRE.

Cité cévenole ensoleillée au pied du
mont Aigoual, Le Vigan fut longtemps un centre réputé pour ses filatures de
soie. Point de départ de nombreuses excursions, la ville est une oasis de verdure avec
sa promenade des Châtaigniers, les jardins du
mont Haussey et ses quais ombragés. À deux
pas d'un superbe pont roman qui enjambe
l'Arre, le Musée cévenol occupe une pittoresque filature de soie, de la fin du XVIIIᵉ siècle.
Il comporte une salle des métiers très vivante,
où sont rassemblés documents, mannequins
et toutes sortes d'objets artisanaux. Une salle
est consacrée à André Chamson, écrivain
cévenol, une autre à l'ethnologie. La salle du
Temps présente la vie quotidienne des
Cévennes, ses mœurs et coutumes, de la préhistoire à nos jours. La place d'Assas porte
la statue du héros du Vigan, le chevalier d'Assas. Sa maison natale côtoie de vieilles
demeures des XVIIᵉ et XVIIIᵉ siècles, pleines de
charme. Avec l'hôtel d'Assas-Montardier,
beau témoin de l'époque classique, le pres-
bytère et sa rampe en fer forgé du XIIIᵉ siècle,
d'autres curiosités jalonnent cette riante petite
ville.

VILLEFRANCHE-DE-CONFLENT
Pyrénées-Orientales

ENSERRÉE ENTRE DES MONTAGNES
COUVERTES DE MERVEILLEUX VERGERS, LA
VILLE FORTIFIÉE EST L'UN DES JOYAUX DU
ROUSSILLON.

Lorsqu'il fonda Villefranche au
XIᵉ siècle, le comte Guillaume-Ray-
mond de Cerdagne l'entoura de remparts et
de tours. L'importance stratégique du lieu,
serré entre le Canigou et le Têt, faisait de la
place forte un poste avancé du royaume
d'Aragon face aux châteaux fortifiés du Languedoc. Jusqu'au XVIIIᵉ siècle et à son déclin
lié à l'essor de Prades sa voisine, Villefranche
est une capitale économique et administrative
active. Sous Louis XIV, les enceintes des XIᵉ
et XVᵉ siècles sont intégrées par Vauban dans
un important système défensif. Séjournant à
plusieurs reprises dans la cité, il fit construire
le fort perché sur la colline de Belloch, relié
à la ville par un escalier souterrain de
1 000 marches. Bel exemple de l'architecture
militaire du XVIIᵉ siècle, les bastions du Roi,
de la Reine et du Dauphin protégeaient les
portes de la ville. L'ensemble des fortifications
est resté intact grâce à leur utilisation récente ;
une garnison y résida jusqu'en 1925.
Les portes de France et d'Espagne, précédées

*Le village cévenol du Vigan, halte sur l'un des itinéraires
créés par les Romains pour traverser l'arrière-pays languedocien, remonte à l'époque romaine.
Dans un site splendide et sauvage, la petite cité mire ses maisons dans les eaux de l'Arre.
Un très beau pont roman enjambe la rivière et mène au Musée cévenol. Maisons
et hôtels du bourg furent construits, pour la plupart, aux XVIIᵉ et XVIIIᵉ siècles.*

*Les remparts qui
entourent Ville-
franche-de-Conflent
ont gardé leurs
systèmes de défense
qui se sont succédé
depuis le Moyen
Âge. Ils sont sur-
montés d'un chemin
de ronde couvert. Ici,
le front est, avec le
Têt coulant au pied
des murailles.*

de leurs chicanes, possèdent encore leurs serrures et leurs montants de marbre rose. Tous les monuments de Villefranche, en effet, sont ennoblis par ce marbre d'une excellente qualité, extrait de carrières toutes proches, qui fournirent la matière des sculptures romanes du Roussillon. Les remparts peuvent être parcourus grâce à un chemin de ronde couvert où se dessinent les systèmes de défense successifs, de l'époque romane au XVIIe siècle. Le long des ruelles tortueuses s'alignent de belles maisons romanes qui ont souvent conservé leur porche avec un arc brisé ou en plein cintre, et leurs fenêtres à meneaux. Dans la rue Saint-Jean aux façades romanes, une niche abrite la statue en bois du XIVe siècle de saint Jean l'Évangéliste. L'église Saint-Jacques, encastrée dans les remparts et remontant aux XIIe et XIIIe siècles, est formée de deux nefs parallèles avec deux magnifiques porches romans à chapiteaux. Sa façade en marbre rose, dominée par un clocher gothique crénelé, est de toute beauté. Le portail de droite

mêle colonnes unies et colonnes torsadées. Sur les deux colonnes intérieures s'appuie un beau tore, orné de fleurons, et les chapiteaux sculptés portent deux bêtes qui semblent être des lions. Le portail de gauche, plus petit, n'est pas moins élégant. Encadré de deux fines colonnes, il offre un décor harmonieux d'archivoltes et de chapiteaux sculptés. Le pavement intérieur, en marbre, est jalonné de pierres tombales du XVIIIe siècle. Un mobilier de qualité occupe la grande nef majestueuse. La chapelle du Christ abrite un autel en marbre du XIIIe siècle et un Christ en bois du XIVe, provenant d'une Mise au tombeau. Le retable de la chapelle Saint-Pierre et celui de la petite nef, œuvre de Joseph Sunyer en bois polychrome, méritent l'attention. Une cuve baptismale romane, la statue de Notre-Dame-du-Bon-Succès, en albâtre, du XIVe siècle, un saint Sébastien en bois du XVIIe siècle et des ex-voto complètent le décor du sanctuaire. Du petit pont Saint-Pierre part l'escalier souterrain muré qui menait au fort.

Une tour de guet du fort qui protégeait Villefranche-de-Conflent, face aux châteaux du Languedoc. La présence de garnisons dans ses murs jusqu'au début du siècle a préservé les bâtiments de la ruine.

La rue des Portes, à Villefranche-de-Conflent, aboutit à l'ancienne porte de France, encadrée de bastions. L'importance stratégique de la place forte demandait un système défensif très élaboré pour surveiller les entrées de la cité.

Quelle intensité dans ce regard de saint Pierre ! Après être longtemps restée sur le pont Saint-Pierre de Villefranche-de-Conflent, la statue, restaurée, se trouve aujourd'hui dans l'église Saint-Jacques. L'œuvre, en bois polychrome, remonte à la fin du XIIIe siècle.

Bédarieux : 8 km

VILLEMAGNE-L'ARGENTIÈRE
Hérault

SES MINES DE PLOMB ARGENTIFÈRE LA FIRENT NOMMER « L'ARGENTIÈRE ».

Du VIIe au XVIIIe siècle, Villemagne fut le siège d'une abbaye bénédictine qui donna naissance à un bourg prospère. Les reliques de saint Majan déposées dans l'abbaye attiraient les pèlerins, mais c'est surtout les libéralités des seigneurs de Narbonne, Béziers et Rodez qui exploitaient avec les moines les mines de plomb argentifère, qui contribuèrent à la richesse de Villemagne. Après les tragiques guerres de Religion, les moines retrouvèrent leur abbaye et entreprirent des restaurations. La Révolution saccagea de nouveau le monastère qui fut vendu aux enchères publiques. Des bâtiments conventuels subsistent une tour carrée du XIIIe siècle, un cloître de style classique et quelques constructions des XVIIe et XVIIIe siècles. L'église Saint-Majan, en bel appareil de calcaire ocre, est l'ancienne abbatiale bénédictine, d'une facture gothique rayonnant. Seul le clocher est roman. L'église Saint-Grégoire, romane, est intéressante pour la superbe porte de la façade occidentale, à trois voussures et surmontée

Le fort Saint-André domine de sa masse puissante Villeneuve-lès-Avignon. Ses murailles aux énormes tours datent du XIVe siècle.

d'une ravissante baie jumelée du XIIIe siècle. Au-dessus du cimetière, un autre sanctuaire, l'église Saint-Martin possède des restes de l'église primitive des Xe et XIe siècles. L'hôtel des Monnaies doit son nom à une tradition qui veut que l'on ait frappé monnaie à Villemagne. L'édifice du XIIe siècle présente un élégant décor architectural. Les neuf fenêtres en plein cintre sont ornées de chapiteaux sculptés et d'encadrements en pointes de diamant. Au-dessus d'une porte, un linteau agrémenté de médaillons du XVe siècle.

VILLENEUVE-LÈS-AVIGNON
Gard

◇ Ville d'art et d'histoire
Nîmes : 32 km

LA « VILLE DES CARDINAUX » SE DÉPLOIE AU PIED D'UN ROCHER SOUS LE SOLEIL MÉRIDIONAL, UNIE PAR UN PONT À L'ANCIENNE CAPITALE DE LA CHRÉTIENTÉ.

La majestueuse Villeneuve-lès-Avignon n'a rien à envier à sa belle voisine Avignon. La « ville des cardinaux », séparée de la « ville des papes » par le Rhône, possède ses propres chefs-d'œuvre qui en font

EN HAUT : *Le puits du cloître Saint-Jean, dans la chartreuse de*
Villeneuve-lès-Avignon, est accolé au château d'eau du XVIIIᵉ siècle.
CI-DESSUS : *Le cloître, œuvre de l'architecte Pierre de Monteruc, a perdu*
ses arcades au XVIIᵉ siècle, quand il reçut de nouvelles voûtes. Elles s'écroulèrent...
Les bâtiments qui entourent le château d'eau servaient de cellules aux chartreux.

une séduisante cité. Sur le mont Andaon qui la domine, une abbaye, édifiée dès le Xᵉ siècle, devint l'un des monastères les plus puissants du Midi. Une forteresse la remplaça au XIIIᵉ siècle, point avancé de la royauté française sur la Provence. Philippe le Bel avait compris l'importance stratégique du site. Le roi établit une ville nouvelle au pied de la forteresse et de la splendide tour qui porte son nom ; la tour de Philippe le Bel défendait, sur les terres royales, l'entrée du fameux pont Saint-Bénézet, immortalisé par la chanson populaire et dont il ne reste que quatre arches. L'installation des papes à Avignon provoqua l'essor de Villeneuve. Trop à l'étroit dans ses murailles, Avignon n'avait plus assez d'espace pour construire les demeures dignes de la papauté. Cardinaux et papes traversèrent donc

le fleuve pour s'installer dans la « ville neuve ». Les libéralités des papes enrichirent la cité jusqu'aux XVIIᵉ et XVIIIᵉ siècles, où de nombreux hôtels se construisaient encore. Palais et résidences somptueuses, les fameuses « livrées », enjolivèrent Villeneuve, qui devint une bourgade aristocratique et ecclésiastique prospère. La Révolution sonnera son déclin. Aujourd'hui, la ville jouit d'une réputation artistique justifiée, havre de paix et de douceur de vivre. La chartreuse du Val-de-Bénédiction est le cœur de la cité. Sa création est due à Innocent VI, désigné pape à la place du général de l'ordre des Chartreux qui avait, par humilité, refusé la tiare. Voulant honorer le geste, selon la tradition, Innocent VI décida d'établir un monastère sur sa propriété villeneuvoise, et en fit don aux chartreux. L'église fut consacrée en 1358. Toute l'histoire de cette chartreuse, qui prendra le nom de Val-de-Bénédiction, est faite de dons et de privilèges accordés par les rois et la papauté. La Révolution la ruina et il fallut attendre le XXᵉ siècle pour qu'elle retrouve son allure d'autrefois. On y entre par une porte fortifiée qui donne sur un passage voûté menant aux bâtiments d'intendance qui entourent le monastère. Une porte du XVIIᵉ siècle ouvre sur l'allée des Mûriers. Son décor est d'une grande élégance, avec ses consoles cannelées et son fronton sculpté. L'église du XIVᵉ siècle, très remaniée au cours des siècles, abrite le splendide tombeau du fondateur. Il n'est plus dans l'état décrit par Mérimée dans ses notes de voyage : « ... Rien de plus svelte, de plus gracieux, de plus riche que ce dais de pierre. Autrefois, un grand nombre de statues d'albâtre ornaient le soubassement ; elles ont été vendues une à une... La statue du pape en marbre a été fort mutilée ; enfin, il n'est sorte d'outrages qu'on n'ait fait subir à ce magnifique monument. » Le gisant de l'œuvre monumentale repose sur un haut socle de pierre, le dais a été restauré. Accolé à l'église, un petit cloître du XIVᵉ siècle conduit à la salle capitulaire et à la cour des Sacristains, orné d'un bel escalier et d'un puits, l'un des trois points d'eau du couvent. Le grand cloître est un ouvrage du XIIᵉ siècle, revoûté au XVIIᵉ siècle. Il est bordé des cellules des pères dont l'une a été reconstituée, et mène à la chapelle pontificale, célèbre pour ses remarquables fresques du XIVᵉ siècle, attribuées à Matteo Giovannetti et qui illustrent les vies de saint Jean-Baptiste et du Christ. Celle de la Crucifixion est un chef-d'œuvre de composition dépouillée, de tons et de finesse de traits. Autour du cloître Saint-Jean, dont les galeries ont disparu, subsistent d'autres cellules des chartreux. L'ensemble de la chartreuse, par sa superficie, forme une véri-

La chapelle pontificale de l'église de la chartreuse, à Villeneuve-lès-Avignon, est ornée de remarquables fresques attribuées à Matteo Giovannetti (XIVᵉ siècle). Elles illustrent des épisodes de la vie de saint Jean-Baptiste. Le peintre sut habilement tirer parti de l'espace restreint pour distribuer les différentes scènes. On reste ébloui devant le mouvement et la sûreté du trait. Le temps ne les a malheureusement pas épargnées.

EN HAUT : *Une partie du tombeau du pape Innocent VI, dans l'église de la chartreuse, à Villeneuve-lès-Avignon. Exécuté dans du marbre blanc, il est surmonté d'un dais gothique orné de statuettes. L'œuvre est une merveille de l'art du XIVe siècle.*
CI-DESSUS : *Le Christ gisant du maître-autel de la collégiale Notre-Dame, en marbre, est une œuvre d'Antoine Duparc, du XVIIIe siècle. Autrefois, ce gisant se trouvait à la chartreuse.*

table cité dans la ville. Elle accueille régulièrement spectacles et expositions, et abrite le Centre international de recherche, de création et d'animation.

Autre curiosité de Villeneuve, le fort Saint-André se dresse sur un piton rocheux, autrefois île avant l'assèchement d'un bras du Rhône. Une formidable porte fortifiée avec deux tours jumelles crénelées en défend l'entrée. L'enceinte englobe l'abbaye Saint-André et la chapelle Notre-Dame-de-Belvézet, sanctuaire du village à l'époque où le fort devait surveiller Avignon. De l'ancienne abbaye bénédictine du Xᵉ siècle ne subsistent que certains éléments, le portail, une aile et la terrasse. Le reste date des XVIIᵉ et XVIIIᵉ siècles. De là, la vue est superbe sur Avignon, la ville et la vallée. La collégiale Notre-Dame, au centre de Villeneuve, fondée au XIVᵉ siècle, est d'une belle simplicité. L'édifice s'achève par une tour, ancien beffroi qui servait de passage public au Moyen Âge. L'intérieur rassemblait des tableaux de maîtres, dont Philippe de

Champaigne, Vouet ou Mignard, maintenant au musée. L'autel de marbre avec un Christ gisant, du XVIIIᵉ siècle, provient de la chartreuse. Sur le côté nord se déploie un cloître, très sobre, du XVIIIᵉ siècle également. Le musée municipal est installé depuis 1986 dans une partie de la livrée de Pierre de Monteruc, du XIVᵉ siècle. Sa fierté est une admirable Vierge en ivoire, du XIVᵉ siècle, merveille du genre, sculptée dans une défense d'éléphant. Une Vierge en albâtre de la même époque, la chasuble dite d'Innocent VI, du XVIᵉ siècle, et le magnifique *Couronnement de la Vierge,* peint en 1453 par Enguerrand Quarton, sont les pièces maîtresses du musée. D'autres toiles ornent les trois étages, dont la *Mise au tombeau* de Simon de Châlons, du XVIᵉ siècle, et la *Visitation* de Philippe de Champaigne. Villeneuve est une cité où il faut flâner. Arcades et consoles sculptées, fenêtres ouvragées, portes Renaissance, galeries et bien d'autres trésors enfouis dans la vieille ville ne demandant qu'à être découverts. Des trésors y abondent.

LA VIERGE À L'ENFANT DU MUSÉE DE VILLENEUVE-LÈS-AVIGNON

Autrefois installée dans la collégiale de Villeneuve, *la Vierge à l'Enfant* a rejoint les trésors du musée Pierre-de-Luxembourg. Taillée dans une défense d'éléphant, elle provient des ateliers des ivoiriers parisiens et date du XIVᵉ siècle. Elle aurait été donnée, selon la tradition, à la collégiale de Villeneuve par son fondateur, le cardinal Arnaud de Via. La Vierge est assise avec l'Enfant Jésus debout sur ses genoux, qu'elle tient de sa main gauche. Une couronne maintient son voile et son vêtement, comme celui de l'Enfant, est bordé de dorures finement dessinées. La polychromie de la statue est bien conservée. Le socle sur lequel elle repose, en bois, date du XVIIᵉ siècle. Le charme de cette œuvre vient des expressions et de la douce inclinaison des personnages suivant la courbure de la défense d'ivoire. L'Enfant Jésus semble s'adresser à sa mère, la tête penchée, les mains rapprochées vers elle, et un doux sourire éclaire son visage. La Vierge, aussi souriante, courbe sa taille, presque malicieuse. L'ensemble compose un tableau intime et chaleureux, véritable représentation humaine de l'amour d'une mère pour son fils.

Cette Vierge en albâtre, exposée au musée Pierre-de-Luxembourg, est sans doute une production germanique du milieu du XIVᵉ siècle.

Cette délicieuse Vierge en ivoire, taillée dans une défense d'éléphant, appartient au musée Pierre-de-Luxembourg de Villeneuve-lès-Avignon. L'œuvre est une production des ivoiriers parisiens du XIVᵉ siècle.